Duerme, bebé

...y deja descansar a tus padres

Colección HERAKLES

Duerme, bebé

...y deja descansar a tus padres

Beatrice Hollyer
Lucy Smith

EDITORIAL HISPANO EUROPEA S. A.

Revisión Técnica: **Dra. Susana García Ohlrich.**

Título de la edición original: **Sleep. The Secret of Problem-free Nights.**

Editado por primera vez en el Reino Unido por: **Ward Lock, Cassell plc, Londres.**

Depósito Legal: B. 2421-1999.

ISBN: 84-255-1256-5.

IMPRESO EN ESPAÑA PRINTED IN SPAIN

LIMPERGRAF, S. L. - Mogoda, 29-31 (Pol. Ind. Can Salvatella) - 08210 Barberà del Vallès

ÍNDICE

PRÓLOGO

Si una ambición tenía cuando llevé a mi nuevo bebé a casa, era la de que durmiera. El no poder dormir durante el tiempo necesario da lugar, por lo que a mí respecta, a que me sienta como si la cabeza la tuviera llena de algodón y es por tal motivo que estaba convencida de que necesitaría esforzarme para mantener a toda costa mi presencia de ánimo. Y lo cierto es que lo que yo quería era algo más que simplemente sobrevivir. Mi deseo era poder disfrutar de mi bebé y ayudarle a gozar de la vida que iniciaba. Para conseguirlo era necesario que yo contase con la oportuna energía y ello implicaba necesariamente poder dormir.

Los bebés se caracterizan por su notoria capacidad en destruir las posibilidades de poder dormir. Resulta fácil distinguir a quienes son sus padres por la expresión de aturdimiento que prevalece en sus rostros y la mirada perdida hacia el infinito que se aprecia en sus ojos soñolientos. Yo ya me hallaba terriblemente familiarizada con este acusado instinto de supervivencia que provoca el no dormir adecuadamente debido a mis años de presentadora matinal en televisión cuando el despertador sonaba a una hora tan intempestiva como las 3 de la madrugada y con ello provocaba que al llegar la tarde mi mente se embotase en grado mucho más acusado que el causado por el desfase horario de un vuelo transatlántico.

No quería, por consiguiente, que mi vida junto a un bebé se pareciese a una situación así. Sabía muy bien lo que ansiaba, es decir, disponer de un tiempo propio de persona adulta al llegar la noche y de una oportunidad de separarme de él para poder cargar de nuevo las baterías. Además dormir durante toda la noche y así estar en condiciones de saltar de la cama repuesta y con renovados deseos de saludar el nuevo día si bien preferiblemente nunca antes de las 7. Obviamente esto es lo que me apetecía pero ¿no es lo que ansía todo el mundo? La pregunta es ¿cómo conseguirlo? Y también ¿resulta posible? Mi madre se mostraba escéptica al respecto. «No puedes *obligar* a un bebé a que duerma» me decía a guisa de dudoso consuelo mientras cenábamos un día tras otro durante las primeras semanas y mi bebé nos miraba con encantadora actitud desde su cuna portátil depositada al lado de la mesa. Afortunadamente para mí fue entonces cuando conocí a Lucy.

Primero vino a nuestra casa como asistenta social y en el momento en que mi hija tenía diez días de edad. Al igual que si se tratase de un hada madrina, hizo que se convirtieran en realidad mis deseos de que adquiriese el hábito de dormir profundamente. Me enseñó que aun cuando es cierto que no resulta posible obligar a un bebé que duerma podemos en cambio ayudarle a que lo haga. Es posible mostrarle cómo conseguirlo y con ello no sólo ponerlo en condiciones de que lo logre por sus propios medios, sino que además se muestre dispuesto a hacerlo por sí mismo.

Esa era la teoría y lo cierto es que funcionó. Cuando mi hija cumplió un mes comenzó a dormir durante lo que podemos denominar «espacio nocturno básico», lo cual constituye uno de los aspectos clave del enfoque que aquí se considera. De acuerdo con los consejos de Lucy consideré que ello constituía un indicio de su predisposición a dormir durante toda la noche. Mucho antes de que llegase a los tres meses de edad, el espacio de tiempo durante el cual dormía por la noche ya había alcanzado la cifra mágica de 12 horas que era lo que yo había soñado, es decir, discurría desde las 7 de la tarde hasta las 7 de la mañana, y conviene destacar que el hábito se ha venido manteniendo y ha sobrevivido a todas las interrupciones que con carácter temporal se han presentado hasta el momento actual. Ahora, que ya ha cumplido 18 meses, juega en su cuna tan pronto como se despierta y nunca reclama que se le preste atención antes de las 8 o incluso las 9 de la mañana.

Conviene destacar, después de todo lo indicado, que no era una buena durmiente al nacer. Al contrario, se mantenía despierta durante largo tiempo, resultaba difícil darle de comer y requería una atención y unos cuidados constantes. En resumen, no era en modo alguno uno de estos bebés de talante profundamente pacífico que parecen dormitar de modo continuado a lo largo de los dos primeros meses de su vida. Debido a tal circunstancia cada vez estaba más convencida de que lo que ambas necesitábamos era poder dormir.

Leí muchos libros, pero al final siempre era Lucy quien daba sentido a la cuestión. ¿Cómo se puede establecer el momento de irse a dormir a la hora que queremos? ¿Ha de dejarse el bebé solo aun cuando proteste en el momento de meterlo en la cama o bien debemos permanecer junto a él? ¿O hemos de irnos y volver a su lado de vez en cuando para tranquilizarle? ¿Y si lo que ocurre es que esto todavía le causa mayor trastorno? ¿Qué precisa hacer si se despierta durante la noche? ¿Cogerlo en brazos? ¿Darle de comer? ¿No tocarlo?

Lucy no sólo conocía las respuestas a estas preguntas y muchas otras más, sino que además me enseñó cuál era el motivo por el que determinados métodos resultan de ayuda y otros en cambio no. Quince años de experiencia directa con bebés le ha proporcionado un conocimiento práctico y una percepción precisa de lo que necesitan y de la forma en que lo ponen de manifiesto, lo cual, considerado en su conjunto, supone mucho más de lo que me ha sido posible leer hasta ahora. Tras el éxito alcanzado en mi caso, decidí transmitir los consejos de Lucy a amigas mías que también debían enfrentarse al problema de unos bebés persistentemente despiertos. Aun cuando se trataba de información que podríamos llamar de segunda mano y dada por teléfono, hizo maravillas, como en el caso de un bebé de un año de edad que jamás había dormido toda una noche entera. Entonces pensé, si el método de Lucy podía dar lugar a una diferencia tan acusada en el comportamiento de los bebés sería conveniente que todo el mundo tuviera acceso a él. Los padres primerizos con frecuencia tienen que recorrer el camino valiéndose de prácticas empíricas y aun cuando los consejos vienen de todas partes y ciertamente no se puede decir que haya escasez de libros que tratan del tema, es posible que el conjunto acabe siendo un poco desconcertante, en especial cuando nada de lo sugerido parece ser de aplicación al comportamiento que pone de manifiesto nuestro bebé en aquel instante. Lo que verdaderamente necesitamos es la clase de conocimientos que inspiran confianza y nos permiten atender nuestro bebé del modo más conveniente para él. En mi caso todo estaba por aprender y el contar con la posibilidad de verme guiada por alguien que realmente conocía el tema constituyó una auténtica bendición.

Aun cuando el enfoque de Lucy proporciona unas respuestas inmediatas a unos problemas específicos, la verdadera esencia reside en que constituye una imagen completa de lo que el dormir supone para nuestro bebé, obviamente desde su punto de vista. Nos señala cómo ayudarle a desarrollar unos buenos hábitos en este ámbito, cabiendo señalar que viene a ser algo así como un programa a la medida tanto para nuestro bebé como para nosotros y en modo alguno un esquema de carácter general y unitario que difícilmente se ajustaría a las necesidades de nadie.

Cada vez que pensaba: «¡Ayúdenme! ¿Qué debo hacer ahora?», Lucy me reconducía a los principios iniciales y me recordaba cómo había de interpretar y responder a las señales puestas de manifiesto por mi bebé. Tras ello todo volvía de nuevo a su cauce y yo por mi parte me congratulaba por mis recién adquiridos conocimientos sobre esta cuestión.

Si alguien puede convertir una madre primeriza, cuyo estado de ánimo se halla dominado por el desasosiego y la ansiedad, en una persona reposada cuyo bebé duerme profundamente, es Lucy. Este libro presenta, desarrollándolo a través de las oportunas secciones, lo que constituye su enfoque y ello al objeto de que cada uno de nosotros pueda agruparlas según más le convenga. Nos ofrece sus métodos así como menciona los medios de que debemos valernos para adaptarlos a nuestro propio bebé así como a nuestras preferencias y circunstancias. De hecho nos convierte en un experto con relación a él y en ello reside precisamente el secreto de unas noches libres de problemas. Finalmente permítasenos poner de manifiesto nuestro profundo agradecimiento a aquellos padres que con sus atinadas opiniones sobre sus bebés expresadas en múltiples conversaciones mantenidas con ellos han inspirado este libro, así como a Dilys Daws, de la Clínica Tavistock, cuya obra *Through the Night (A través de la noche)* viene a iluminar de modo brillante muchos de los misterios concurrentes en el dormir de los bebés, y también en especial a los innumerables padres y bebés que compartieron sus problemas y sus éxitos con Lucy a lo largo de sus quince años como asistenta social especializada en bebés y niños pequeños. Sus experiencias constituyen la base de este enfoque al problema del dormir. De hecho, este libro no podría haberse escrito sin ellas.

Beatrice Hollyer

INTRODUCCIÓN

El dormir es, con mucho, el problema del que se hace mención con mayor frecuencia con relación a los bebés de edad inferior a un año. Una estimación clínica viene a sugerir que más de un tercio de ellos experimentan dificultades en este ámbito y la investigación pone de manifiesto que la mitad de los que sufren este problema al llegar a un año de edad siguen teniéndolo al alcanzar los tres. La breve expresión «problemas en el dormir» viene a representar una enorme ración cotidiana de estrés, conflictividad, frustración, confusión, enojo y absoluto agotamiento para los padres de bebés inmersos en ellos.

Nadie quiere verse expuesto a un problema de sueño. Cuando se está esperando la llegada de un bebé resulta habitual el que se teman las interrupciones nocturnas que se avecinan. De hecho, después de haber admirado a nuestro nuevo hijo, la primera cosa que muchas personas preguntan es: «¿Duerme bien?» No poder dormir, en especial si tal circunstancia se extiende a lo largo de un periodo prolongado, es una tortura de clase especial. Sin embargo son numerosos los que creen que es cuestión de suerte el que nos toque un bebé que duerme bien o uno que no lo haga, pero a este respecto debemos señalar que tal aseveración no responde a la verdad.

Es por supuesto indiscutible que los bebés varían enormemente entre sí, tanto por lo que se refiere a su necesidad de dormir como en todo lo demás. Uno que sea de talante plácido no necesitará tanta ayuda para desarrollar unos buenos hábitos en lo que a dormir respecta como aquel que sea nervioso, pero conviene destacar que incluso aquellos que al nacer concilian el sueño sin problemas pueden algunas veces convertirse en malos durmientes en un momento posterior. Además, el que desde un principio se duerma de un tirón toda la noche no constituye garantía alguna de que el bebé no va a desarrollar un problema de sueño en una etapa posterior.

Lo cierto es que el que nuestro bebé aprenda o no a dormir bien, depende de nosotros, puesto que él no cuenta con la opción de elegir entre una u otra de estas dos posibilidades. Ello supone que podemos escoger el facilitarle las cosas proporcionándole todo cuanto necesita mientras le transmitimos el claro mensaje de que la noche es para dormir. Conviene tener bien presente en esta cuestión que cuando todavía son pocos los días de vida con que cuenta se muestra extremadamente receptivo a nuestras señales. Si le mostramos por tanto cómo debe proceder, reforzamos sus propios pasos en dicho sentido y no ponemos obstáculo alguno en su camino, ello se traducirá en que pronto dormirá bien.

Un bebé que haya sido orientado desde un principio hacia la consecución de unos buenos hábitos por lo que a dormir concierne nunca sentirá la necesidad de desarrollar problemas que vengan a perturbar su sueño.

Cómo tratar un problema del dormir

Los problemas relacionados con el dormir pueden ser objeto de un tratamiento adecuado después de que se hayan presentado. Este libro muestra cómo identificar lo que da lugar a que nuestro bebé se mantenga insomne y de este modo poder atacar la raíz de la dificultad que ello supone. Conviene destacar, sin embargo, que un ataque frontal encaminado a resolver la situación no produce otra cosa que conflictividad. En cambio, esforzarse en comprender las razones que subyacen el estado insomne, genera confianza y una buena comunicación entre nosotros y nuestro bebé, aparte el hecho de que permite a éste relajarse y predisponerlo favorablemente a dormir.

Aun cuando en primer término persigue como objetivo evitar los problemas relacionados con el dormir y que por este motivo todo el esfuerzo se centra en establecer unos buenos hábitos encaminados a conseguir tal propósito desde el inicio de la existencia del bebé, este libro puede ser utilizado para resolver tales problemas en niños de cualquier edad. Los principios son exactamente los mismos. Aplicados a un problema ya existente nos permitirán acceder a la base del mismo y encontrarle una solución en un breve espacio de tiempo, generalmente inferior a una semana. Sin embargo para que así ocurra será preciso introducir algunos pequeños cambios. Como seres dotados de hábitos, los bebés y los niños de muy corta edad típicamente se oponen a cualquier cambio que venga a alterar la rutina con la que ya se hallan familiarizados. No obstante también es cierto que las protestas de carácter extremado raramente se mantienen más allá de uno o dos días. Al llegar a la cuarta o quinta noche es probable que nuestro hijo ya acepte el cambio y duerma sin interrupción. Recordemos, sin embargo, que existe la elevada posibilidad de que al cabo de un par de noches vuelva a despertarse pero este hecho no debemos interpretarlo como un contratiempo, sino que se debe únicamente a que el bebé está sometiendo a prueba las nuevas reglas y necesita comprobar que todavía siguen vigentes.

Es muchísimo más fácil impedir el que se desarrolle un problema vinculado con el dormir que resolverlo después de que se haya presentado. Las necesidades de un bebé recién nacido son muy sencillas mientras que si el que es insomne ya ha alcanzado un año de edad la cuestión puede resultar algo complicada. Por este motivo cuanto antes comencemos a estimular unos buenos hábitos en lo que a dormir respecta, más fáciles serán las cosas para todos.

Cómo conseguir que nunca tengamos un problema relacionado con el dormir

Los buenos hábitos en lo que se refiere a dormir comienzan en el útero materno y éste es el motivo por el cual está en nuestras manos la llave que nos ha de permitir conseguir que nuestro bebé se adapte con éxito a permanecer dormido durante toda la noche. En el momento de nacer ya deberemos estar bien preparados para ayudarle y ello a partir del primer día. Un sueño fácil y agradable, sometido a su propio control, es uno de los mejores regalos que podemos proporcionarle. Los cimientos establecidos en la infancia se mantendrán sólidamente asentados a través de toda su vida ya que siempre podrá recurrir a sus primeras experiencias en la cama, la cual acudirá a su mente como siendo un lugar tranquilo en el que resulta posible restaurar las energías.

Por lo que a nosotros respecta, es de todo punto obvio que las recompensas son de carácter más inmediato. Nuestro bebé comenzará a dormir toda la noche tan pronto como esté preparado biológicamente para que ello tenga lugar, y esto puede que ocurra mucho más pronto de lo que nosotros habíamos pensado. Incluso el más vivaz de los bebés pondrá de manifiesto los primeros indicios de esta tendencia después de que haya transcurrido un mes aproximadamente. La mayoría de bebés sanos y normalmente desarrollados pueden dormir durante doce horas por la noche al llegar a la edad de tres meses. Cuando esta edad ya se sitúa en los seis meses, todos se encuentran en condiciones de hacerlo. Si tal circunstancia no se da, es que existe algo que lo impide.

Nuestro bebé nace programado para adaptarse a dormir durante toda la noche pero resulta muy frecuente el que este hecho se vea fácilmente alterado o demorado. Algunas veces ocurre que el bebé es objeto de mucho cariño y grandes cuidados pero la forma en que ello tiene lugar provoca un efecto secundario totalmente indeseado que se traduce en una perturbación del proceso natural de adaptación y le imposibilita el que pueda dormir. En cambio con una comprensión cabal de sus necesidades, prestando atención a las señales que pone de manifiesto y ajustándose a sus inclinaciones podremos reforzar en elevado grado su tendencia a adaptarse a dormir por la noche y el resultado será que esto se producirá con rapidez y gran facilidad.

Este enfoque encaminado a ayudar a nuestro bebé para que duerma se apoya en tres ideas centrales:

- El «espacio nocturno básico» constituye el primer indicio de que nuestro bebé ya se encuentra preparado para dormir durante periodos prolongados a lo largo de la noche. Si nos mostramos vigilantes para descubrir el momento en que tal circunstancia se da, podremos aprovechar la oportunidad que se nos ofrece para consolidar el sueño de nuestro bebé y transformarlo en un espacio nocturno de tiempo unitario y sin interrupción alguna.
- Los bebés no duermen bien simplemente gracias a la suerte o por accidente. El dormir es una habilidad aprendida y nosotros podemos ayudar a nuestro bebé a que la adquiera desde los primeros días de su vida.
- Sin que ésta sea nuestra intención, podemos hacer que le resulte imposible a nuestro bebé poder dormir bien. Son muchas las maneras en que esto puede ocurrir, desde la forma en que se va a la cama hasta los hábitos alimenticios y las actitudes y sentimientos que podamos poner de manifiesto. Todos estos aspectos pueden

ejercer un marcado efecto sobre nuestro bebé sin que nosotros nos apercibamos de tal influjo.

Idealmente, el capítulo 1 debería ser leído durante el embarazo ya que no existe mejor momento para empezar a pensar acerca del dormir de nuestro bebé y prepararse para prestarle nuestra ayuda desde un principio. Saber lo que el dormir significa para nuestro bebé, cómo actúa el sueño y qué es lo que podemos aprender de nuestras propias necesidades en este ámbito constituyen unos excelentes primeros pasos para ayudarle a dormir convenientemente y con ello se justifica el que leamos cuanto podamos acerca de estos extremos.

¿Qué cabe decir de nosotros?

Los capítulos 2 y 3 son cruciales para este enfoque. Se ocupan más de los padres que de los bebés y existe una buena razón para que así sea. Con la mejor buena voluntad del mundo no nos será posible alcanzar el éxito en nuestro empeño de ayudar a nuestro bebé a que duerma si en nuestra relación existe una cierta confusión que se traduce en que le estemos transmitiendo unas señales erróneas respecto al dormir. El capítulo 2 sugiere diversas formas de cuidar nuestras actitudes que redundarán en beneficio de nuestro bebé y de las posibilidades de que duerma en particular. El capítulo 3 señala cuán fácil resulta impedir que nuestro bebé duerma pese a hacer cuanto podemos para ayudarle en este sentido y cómo es posible evitar estos escollos.

Estos aspectos, por lo que al dormir de nuestro bebé se refiere, son por regla general descuidados. Incluso en aquellos casos en que los padres buscan consejo sobre cómo conseguir que sus bebés duerman, sólo en raras ocasiones reciben ayuda para poder descubrir cuáles son las razones reales que los mantienen insomnes. El inevitable resultado es que se acaba tratando los síntomas sin que previamente se conozca la causa y si el sueño del bebé se estabiliza de modo normal no es infrecuente el que los problemas no resueltos aparezcan de nuevo al cabo de cierto tiempo y provoquen un trastorno. Lo que resulta verdaderamente cruel en una situación así es que ni nosotros ni nuestro bebé tenemos idea de lo que está ocurriendo. Es posible que esto nos lleve a un estado de exasperación debido a que lo hemos probado todo para conseguir que nuestro bebé duerma y nada ha surtido el efecto deseado. Estos capítulos nos ayudarán a encontrar las causas subyacentes de muchas de las perturbaciones que impiden dormir adecuadamente.

Primeros pasos para poder dormir

El capítulo 4 considera los primeros tiempos (días y semanas) en la vida del bebé y durante los cuales, como es creencia corriente, no podemos hacer otra cosa que sobrevivir. Esto, sin embargo, no es verdad. La forma en que lo tratamos en sus primeros días ejerce una influencia real sobre cómo se adapta a la posibilidad de dormir durante toda la noche. La comunicación con nuestro bebé, la cual hace que el dormir y cualquier otro aspecto se desenvuelva con mayor suavidad, es algo que puede establecerse ya desde sus primeros días de vida.

El capítulo 5 incluye una de las claves de este enfoque, es decir, lo que se conoce como «espacio nocturno básico», el cual viene a ser el núcleo central de la capacidad intrínseca y no adquirida de dormir de nuestro bebé. Si esta señal se halla ausente, su avance hacia la consecución de la posibilidad de dormir durante toda la noche sufrirá un parón e incluso puede ocurrir que se produzca una inversión.

La comida y otros hábitos

El capítulo 6 se ocupa de la fastidiosa cuestión de la comida y del dormir. Debido a que se trata de dos conceptos tan firmemente conectados en principio entre sí, existe el riesgo de que se establezcan unos hábitos que hagan imposible separarlos y permitir que nuestro bebé pueda dormir durante toda la noche. Consideramos pues cómo tiene lugar el que la comida sea la causa más común de que los bebés de edad inferior a un año se despierten por la noche.

El capítulo 7 describe el dormir como un hábito y pone de manifiesto hasta qué punto se encuentra estrechamente vinculado a otros hábitos y rutinas, los cuales pueden ser utilizados para crear unas asociaciones positivas y un estado de relajación que haga fácil para nuestro bebé el irse a la cama y conciliar el sueño.

Qué debemos hacer cuando nuestro bebé se mantiene insomne

Por muy pronto que nuestro bebé comience a dormir durante toda la noche y por mucha que sea la facilidad con que lo haga, siempre habrá algún momento en que, como parte de su crecimiento y desarrollo, se mantendrá insomne. Conviene destacar que el que esto ocurra no tiene carácter de problema relacionado con el dormir, sino que no pasa de ser un obstáculo temporal que será preciso superar tanto por nuestra parte cómo por la de nuestro bebé. El capítulo 8 nos enseña cómo asegurarnos de que un episodio de esta clase no se transforme en un problema del dormir.

El capítulo 9 considera ejemplos de situaciones especiales que pueden dar lugar a que lleguemos a creer que de nuestro bebé no podemos esperar que llegue a dormir bien o que resulte difícil el poder ayudarle. Las técnicas encaminadas a prestar asistencia a los bebés sanos para que duerman son igualmente efectivas en el caso de los que están enfermos o sufren alguna dificultad. En dicho capítulo se muestra cómo aplicar estos métodos al objeto de que nuestro bebé duerma lo mejor posible y vaya mejorando progresivamente gracias al esfuerzo desplegado a tal fin.

Doce reglas de oro

El capítulo 10 revierte a los principios básicos. Tan pronto como dispongamos de los conocimientos precisos necesitaremos entender los influjos que actúan sobre el dormir de nuestro bebé y cómo controlarlos y a este respecto procede destacar que la magia de este enfoque reside en su simplicidad, la cual viene resumida en doce reglas de oro. Consideradas en su conjunto constituyen un remedio eficaz que nos permitirá abortar en sus inicios los problemas relacionados con el dormir. Dichas reglas son asimismo una especie de mapa que de forma segura nos lleva de nuevo al camino que nos ha de conducir a una serie continuada de noches de plácido sueño, tanto por lo que se refiere a nosotros como a nuestro bebé.

Bebés y época subsiguiente

Si nuestro bebé ha adquirido unos buenos hábitos por lo que a dormir se refiere durante el primer año de su vida y nosotros ya sabemos cómo llevarlo de nuevo al buen camino en el caso de que se produzca un trastorno o una alteración del buen ritmo, no hay motivo para que en algún momento suframos un problema en este ámbito. Cuanto más pronto comencemos más fácil nos resultará la labor. Al cabo de un año es probable que nuestro bebé ya haya dado fijeza a su forma de ser y que ofrezca una tenaz resistencia a cualquier cambio, que habría aceptado sin dificultad cuando sólo contaba escasos días de vida. Un problema relacionado con el dormir puede ser resultado, en el caso de un niño que comienza a dar sus primeros pasos, de una fuertemente arraigada y complicada red de hábitos, opiniones y carácter que puede ser muy difícil llegar a desentrañar.

Este libro se concentra en los bebés que no superan un año de edad, pero ello no obsta para que también pueda sernos de ayuda si nuestro hijo sobrepasa dicho límite. Para llegar a la identificación apropiada de cualquier problema que se traduzca en anomalías en el dormir, el primer paso que conviene dar es siempre el de acudir a los puntos básicos, lo cual significa identificar la causa que provoca el que nuestro hijo sea insomne y ayudarle a encontrar una solución mientras con carácter simultáneo tratamos de transmitirle el claro mensaje de que la noche es para dormir. Tratándose de un pequeño bebé el mensaje debe ir acompañado con grandes muestras de cariño y de actitudes tranquilizadoras. Si la edad es la que corresponde a un niño que ya ha comenzado a dar sus primeros pasos, entonces ya no resulta tan fácil conseguir convencerle pero, con todo, el objetivo sigue siendo exactamente el mismo.

Aun cuando, como se ha señalado anteriormente, este libro centra su atención en los bebés, los principios que en él se describen pueden ser aplicados con éxito a cualquier edad. Existe sin embargo una excepción: la regla de oro que dice «nunca despertemos a un bebé que está durmiendo» deja de ser cierta a partir del instante en que nuestro bebé comienza a dar sus primeros pasos. A esta edad, una siesta al caer la tarde supondrá una interferencia en su disposición a dormirse al llegar la noche y por consiguiente será preciso interrumpir, suavemente eso sí, su sueño diurno en un momento dado y proceder a despertarle en el caso de que vuelva a dormirse en algún otro instante.

En cuanto a las pesadillas, debemos señalar que son más comunes en los niños mayores que en los bebés y por tal motivo no son objeto de consideración detallada en este libro. Debemos destacar, sin embargo, que se trata de una forma más desarrollada de expresar un estado de ansiedad y que el método para tratarlas con eficacia es el mismo que en el caso de que nuestro bebé se despierte como consecuencia de algo que le ha provocado angustia, es decir, unas palabras tranquilizadoras, un mínimo de conmoción y perturbación y un cariñoso pero firme estímulo para que vuelva a dormirse.

Se cuenta con evidencia que viene a demostrar que los bebés de talante independiente y seguros de sí mismos tienden a dormir mejor que los demás pero también es cierto que el dormir bien se retroalimenta. Aprender a dormirse sin que medie ayuda externa alguna constituye un gran paso hacia adelante en el proceso de desarrollo de nuestro bebé y estimula la aparición en él de un sentimiento de autoconfianza e independencia. De por sí el dormir plácidamente durante toda la noche hace que se sienta más capacitado y esté de buen humor, lo cual permite que se desenvuelva en mejores condiciones a lo largo del día. Al final de la jornada vuelve a la cama complacido con todo lo que ha hecho y preparado para relajarse, viniendo todo ello a ser un ciclo positivo que se inicia aprendiendo a dormir.

Por lo que a los padres respecta debe tenerse en cuenta que la energía de que disponen tiene carácter limitado. Si nuestro bebé duerme mal, tal circunstancia puede agotar todas nuestras reservas sin que mientras tanto se vislumbre el final de la situación, si exceptuamos quizás el hecho de que cuando llegue el momento de que vaya a la escuela la mayoría de niños acostumbran a dormir bien. Sin embargo cinco años de dormir mal es más de lo que cualquiera se halla en condiciones de soportar, en especial los padres de niños pequeños que tienen buen número de otras razones para estar cansados. Por consiguiente, en lugar de desperdiciar esfuerzos en tratar de hacer frente al problema que supone el dormir mal, nuestra energía debe orientarse a la consecución de un resultado positivo, es decir, el representado por un niño que siempre ha dormido bien y probablemente seguirá haciéndolo.

1 • DORMIR ANTES DE NACER

Embarazo

«Cuando estaba embarazada yo dormía mal. Supongo que siempre pensaba que el dormir también sería un problema para el bebé.»

Madre de Gabriel, de once meses de edad, que no duerme durante la noche.

Por su propia naturaleza el dormir es algo difícil de dominar. Lo necesitamos pero nos resulta imposible controlarlo y si consideramos que nosotros nos sentimos algo desconcertados ante él, tal circunstancia puede que convierta en una fatigosa labor el enfrentarnos con el de nuestro bebé. Es posible que creamos que no nos es posible planificárselo al igual que hacemos con su comida, su cambio de pañales y su baño, pero lo cierto es que sí podemos hacerlo.

Información durante el embarazo

Quienes esperan la llegada de un bebé constituyen una especie de mercado cautivo para los fabricantes de alimentos infantiles y artículos diversos para uso de los niños. Deseosos de conseguir información y decididos a hacer lo mejor para su hijo, los padres potenciales se muestran más receptivos a la publicidad que la mayoría de otras personas. Y esto es algo que los anunciantes conocen muy bien.

Sin embargo no existe beneficio alguno en lo que al dormir se refiere. En nuestra sociedad de consumo esto significa que el dormir no se presenta como algo que debamos considerar y respecto a lo cual hayamos de optar por una elección entre varias posibles. Esto más bien tiende a quedar reservado para aquellos objetos que podemos comprar. A tal fin nos vemos alentados a canalizar todas las incertidumbres aparejadas con el embarazo hacia las compras y es debido a ello que muchos bebés no nacidos todavía se convierten en el ojo del huracán del consumismo. Sin embargo, ante este planteamiento procuremos mantener la calma, detengámonos a pensar y preguntémonos: ¿Qué es lo que un nuevo bebé realmente necesita? Leche, amor, protección y poder dormir. ¿Y qué es lo que con fuerza desean los nuevos padres? Pues también dormir.

Pensamientos sobre el dormir

Cuando estaba embarazada, mi madre me regaló una cesta de mimbre trenzado a mano que previamente había forrado con una tela que llevaba estampadas unas estrellas. En mis sueños diurnos imaginaba a mi bebé durmiendo plácidamente en esta cesta y esto es lo que hizo, el día que llegó a casa, durante cinco maravillosas horas. Pero no volvió a repetirlo durante todo un mes. De hecho necesitaba la seguridad y el bienestar que le proporcionaban nuestros brazos. Sin embargo, seguí probando y un día, de repente, sin saber a ciencia cierta porqué se mostró dispuesto a dormir en su cesta.

Si hubiese dedicado algún pensamiento al dormir cuando estaba embarazada habría comprendido lo que estaba sucediendo. Me habría sentido menos inquieta respecto a la posibilidad de que mi bebé durmiera y éste habría podido adaptarse con mayor rapidez a la situación como resultado de tal circunstancia. Afortunadamente para mí comencé a enterarme de la forma en que Lucy enfocaba la cuestión del dormir cuando mi bebé sólo tenía diez días pero debo admitir que si tales conocimientos los hubiese adquirido durante el embarazo el resultado habría sido mejor.

El embarazo es el mejor momento posible para comenzar a tomarse en serio la cuestión del dormir. De hecho resulta muy difícil tratar de inducir a nuestro bebé que duerma toda la noche si esto es algo que nosotros no hacemos y quizás abrigamos dudas de que incluso sea posible. Por supuesto no podemos decidir simplemente que debemos dormir bien y es de todo punto obvio que las incomodidades e inquietudes del embarazo conducen de modo natural a sufrir malas noches. Sin embargo lo que realmente es importante es creer en el dormir y tener claramente en mente que el objetivo que se pretende alcanzar es el descanso que proporciona una buena noche tanto para nosotros como para nuestro bebé.

Una vez superado el periodo de ajuste, nuestro bebé es posible que duerma mejor que nosotros. Durante una noche en que permanecí todo el tiempo despierta pude comprobar que mi bebé había dormido a lo largo de siete horas consecutivas mientras que yo no había podido pegar ojo. Su plácido ejemplo me estimuló finalmente a dormirme. De todos modos tenemos que al principio, cuando nuestro bebé todavía no es un ser autónomo, la cuestión funciona de modo inverso ya que necesita nuestra orientación para aprender a dormir bien.

Cómo convertirse en un buen ejemplo para dormir

Podemos valernos del momento en que esperamos que nuestro bebé comience a pensar en la acción de dormir y acerca de cómo la misma funciona. Incluso en el caso de que nosotros durmamos bien, esto constituye una buena idea ya que debido a tal circunstancia podremos ayudar a nuestro bebé a aprender lo que para nosotros es un hecho natural.

El embarazo inevitablemente significa pasar noches plagadas de interrupciones. Estos momentos de vigilia, sin embargo, suponen una buena ocasión para dedicar algunos pensamientos al dormir. ¿Cómo volvemos a conciliar el sueño después de habernos despertado alguna vez por la noche? Necesitamos estar cómodos y a tal fin en ocasiones añadimos una manta a la cama o bien la suprimimos. Necesitamos además contar con el convencimiento de que nos hallamos seguros y que en nuestro entorno todo se halla normal. (Quizás este instinto de supervivencia fuertemente asentado en nuestro subconsciente explica por qué algunas veces merodeamos por la casa antes de acostarnos de nuevo para volver a dormir.) Se infiere de ello que necesitamos borrar toda traza de ansiedad de nuestro pensamiento y relajarnos antes de sumergirnos de nuevo en un estado de inconsciencia.

Nuestros descubrimientos acerca de lo que nos ayuda a relajarnos y a dormir puede ser aplicado a nuestro bebé desde los primeros días de su vida. También él necesita sentirse cómodo, inmerso en la temperatura ambiental correcta, relajado y, por encima de todo, seguro y a salvo de toda contingencia antes de entregarse al sueño.

Influencia de la familia

Es un hecho cierto que existen familias en las que sus miembros duermen mal. Esto, sin embargo, no significa que tal tendencia sea un rasgo genético hereditario, sino que algunas de las personas pertenecientes a dichos ámbitos cuentan con posibilidades de desarrollar unas actitudes o unos hábitos similares con relación al dormir. Los padres de un bebé insomne a menudo cuentan con un historial propio de problemas relacionados con el dormir, como en el caso de la madre citada al principio de este capítulo.

Estas actitudes con frecuencia tienen carácter inconsciente y ello da lugar a que los padres no se den cuenta de que están transmitiendo a su bebé el convencimiento de que el dormir es labor difícil. La mejor manera de evitar la «programación» de nuestro bebé de modo que acabe durmiendo mal, es reconocer previamente estos hábitos, tanto mentales como de conducta, en nosotros mismos. Si así se procede resultará posible separar nuestros problemas con relación al dormir de la necesidad que tiene nuestro bebé de desarrollar una buena pauta de conducta en este ámbito. Además evitaremos quedarnos atrapados por un problema marcadamente familiar que en caso contrario dará lugar a que las dificultades experimentadas por nosotros por lo que a conciliar el sueño respecta se transmitan a nuestro bebé y a su vez se acentúen todavía más con su conducta insomne.

Si enviamos a nuestro bebé el mensaje de que el dormir es buena cosa, además de fácil, agradable y seguro, lo captará perfectamente por muy improbable que esto parezca al principio. Si esta idea es parte de sus primeras impresiones del mundo que le rodea, se transformará en una actitud propia y en una de las presunciones automáticas que a su vez conservará hasta incorporarla a su vida adulta.

Adaptándose al mundo

Nuestro bebé nonato se halla acostumbrado a un flujo ininterrumpido de alimento y a un entorno en el que prevalece una temperatura idealmente constante, unos sonidos apagados y un decorado sin cambios. Un día nuestro bebé sólo conoce la seguridad del útero materno con la que se halla tan familiarizado pero al siguiente se ve separado físicamente de su madre y percibe tejidos extraños en contacto con su piel e impresiones cambiantes provenientes del aire que le rodea. La comida pasa a serle administrada a intervalos de varias horas, creando con ello una sensación nueva y urgente descrita como hambre. El cambio es tan grande que resulta sorprendente el que nuestro bebé supere el shock que esta situación comporta con la rapidez con que lo hace.

De hecho, los bebés se amoldan a las condiciones de su existencia con mucha mayor rapidez que la que desarrollamos nosotros en nuestra calidad de padres y éste es el motivo por el que a menudo recordamos al primero como de difícil «adaptación». Después, cuando llega el segundo o el tercero ya contamos con cierta experiencia y ello nos permite desenvolvernos mejor. Nuestro bebé percibe, en tal circunstancia, nuestra confianza y este hecho le tranquiliza y le permite relajarse y dormir. Sin embargo no existe motivo alguno por el cual este mensaje tranquilizador no pueda transmitirse asimismo a un primer bebé. Como es natural en una situación así no contaremos todavía con la soltura automática que proporciona la experiencia, pero nuestra convicción y nuestro amor son exactamente los mismos tanto si se proyectan sobre nuestro bebé a través de una experiencia previa como si no. A nosotros corresponde decidir cuáles son los mensajes que deseamos transmitir a nuestro bebé y asegurarnos de que llegan a destino sin mezclarlos con otros que sean contradictorios.

Qué es lo que el dormir significa para nuestro bebé

Dormir es una necesidad mental tanto como física. Permite descansar a los músculos pero también representa el momento en que las experiencias sufridas durante el día son procesadas e integradas en la mente. Esto es doblemente cierto tratándose de bebés y niños pequeños y todo depende de lo bien que duerman.

Crecen mientras se hallan entregados al sueño ya que en este momento el cuerpo puede concentrarse en desarrollar tejido muscular y óseo en lugar de consumir energía. Se despiertan, tras una noche de sueño reparador, con un buen apetito ya que no han comido o bebido nada durante quince horas. Esto significa que el otro aspecto clave de la infancia, es decir, la alimentación, también se resuelve sin problemas y de hecho resulta muy gratificante dar de comer a un bebé que pone de manifiesto un apetito apropiado.

Debemos tener en cuenta sobre todo que su cerebro desarrolla un proceso clasificatorio mientras duermen. Durante el día, en cambio, se ven sometidos a un verdadero alud de experiencias y estímulos totalmente nuevos, como por ejemplo la primera lluvia, los primeros fríos, los primeros calores, la primera vez que pisan hierba con el pie desnudo, el primer fuego, el primer perro, etc.

Nuestro bebé necesita con urgencia disponer de «tiempo muerto» al objeto de que todo este cúmulo de información pueda ser asimilado y vinculado con todo lo demás. Esta capacidad de establecer conexiones forma parte de lo que nosotros llamamos inteligencia y es así como nuestro bebé hace suyas las experiencias sufridas y puede de este modo acudir a ellas y utilizarlas debidamente cuando en el futuro se presente una situación que lo permita. Y es mientras está durmiendo que todo esto sucede.

¿Cómo actúa el dormir?

Sabemos que durante la noche se producen ciclos alternos de sueño profundo y superficial. El primero es el que se traduce en un mayor descanso y en una regeneración de fuerzas más elevada. Se detiene el soñar y la mente y el cuerpo se relajan de un modo total. En cambio, cuando se duerme de forma superficial hacen su aparición los sueños y a esta fase se la conoce como REM *(rapid eye movement)* debido al rápido movimiento de los ojos que es posible detectar en ella. Cabe añadir además que mientras persiste se consume una elevada cantidad de oxígeno y de energía. Se caracteriza asimismo por movernos mucho e incluso por hablar en voz alta.

Es solamente cuando existe un equilibrio ideal entre el sueño profundo y el superficial que nos sentimos descansados y con renovado vigor al despertarnos. Todos nosotros hemos pasado alguna vez por la experiencia de dormir toda la noche y pese a ello levantarnos todavía cansados. Esto con frecuencia ocurre cuando estamos angustiados, trastornados o deprimidos. Al parecer el estrés mental mantiene el pensamiento ocupado, tratando de resolver problemas a través de los sueños, y el resultado es que nos vemos privados de un dormir más descansado que sólo puede tener lugar a niveles más profundos.

Estos dos niveles de sueño, es decir, el profundo y el superficial (REM), resultan evidentes en los bebés en el curso de los dos últimos meses del embarazo. Nuestro bebé nonato pone en funcionamiento sus mecanismos respiratorios durante el sueño REM y el cerebro recibe un estímulo que contribuye al desarrollo de sus funciones «pensantes» más elevadas. Es quizá por este motivo que los bebés cuentan con un nivel más elevado de sueño REM que los niños y los adultos. Un bebé quedará sumido en un sueño profundo a partir del instante en que se duerma por primera vez, después se agitará un poco y posiblemente se despertará al cabo de una hora aproximadamente. Este ciclo volverá a repetirse durante la hora siguiente. Tras ello es posible que se despierte varias veces durante una fase de sueño superficial antes de que vuelva a iniciar otra fase de sueño profundo. Teniendo en cuenta lo indicado, es posible que se despierte varias veces más durante la noche mientras pasa de un ciclo de sueño profundo a otro superficial.

Despertarse durante la noche

Todos estos momentos en que se produce un despertar a medias pueden considerarse como oportunidades de que lo sean de forma total si las condiciones no son las ideales para un dormir continuado. Cuando nuestro bebé se despierta y llora, tal circunstancia significa que su ciclo de sueño ha alcanzado una fase «superficial» natural y que algo le está impidiendo volver a dormirse de nuevo. Si duerme bien, simplemente se moverá un poco, quizás emitirá uno o dos sonidos vocales y acto seguido se dormirá otra vez voluntariamente.

Nuestros ciclos, como adultos, son de tipo similar si bien los intervalos entre la repetición de cada uno de ellos son más prolongados. También nosotros nos despertamos varias veces durante la noche aun cuando a menudo no lo recordamos. Llevamos a cabo un breve reconocimiento de nuesto entorno, y quizá cambiamos de posición, antes de volver a dormirnos. Esto explica la razón por la cual a menudo no dormimos tan bien en un lugar que nos es extraño. Cuando nos movemos y nos despertamos a medias lo hacemos movidos por el mensaje que nos informa que nuestro entorno no es el «correcto» y esto nos lleva a una situación de alerta. Por supuesto resulta mucho más difícil volver a conciliar el sueño después de que algo nos ha despertado completamente.

Éste es el motivo en que subyace una de las claves de este enfoque. Si ponemos nuestro bebé en la cama relajado pero despierto y dejamos que se duerma por su propia voluntad, cuando se despierte a medias por la noche verá que todo cuanto le rodea es igual que en el momento en que se durmió. Su verificación instintiva del entorno le transmite el mensaje de que todo marcha bien y por tanto no existe peligro alguno que le impida volver a dormirse. En tal caso únicamente le resta repetir el proceso con que inició la noche, aun cuando sus padres no lo puedan entender muy bien.

Sin embargo, si nuestro bebé ha sido alimentado, mecido o paseado hasta que haya caído dormido y después se le ha metido en la cama, cuando se despierte a medias todo lo verá mal. ¿Dónde está el confortante pezón que tenía en la boca? ¿Dónde los brazos protectores de su madre? El examen de su entorno se traducirá en una señal de alarma, sus instintos se situarán en un estado de alerta roja y ello provocará de inmediato que se despierte por completo y comience a llorar en demanda de ayuda.

Tenemos por consiguiente que todos los bebés, los niños y ciertamente los adultos se despiertan varias veces durante la noche, y los primeros con mucha mayor frecuencia que los últimos. La única diferencia entre un bebé que duerme bien y uno que despierta a sus padres con sus lloros, es que el que cuenta con unos buenos hábitos por lo que al dormir respecta puede volver a conciliar el sueño por sí mismo en el caso de que se despierte, mientras que el insomne no.

A menudo ocurre que los padres establecen un horario que se mantiene todos los días para ir a la cama y ello hace posible que el bebé se duerma con facilidad pero sólo para despertarse y pedir que se le preste atención varias veces durante la noche, pudiendo también ocurrir que se despierte a una hora intempestivamente temprana y no quiera volver a dormirse. Ésta es una de las situaciones más frustrantes a las que cabe hacer frente ya que consideramos que después de haber conseguido que se vaya a la cama sin problemas no hay nada más que podamos hacer por él. Sin embargo hay algo que le impide dormir bien y a este respecto debemos señalar que es posible determinar de qué se trata y encontrarle una solución como nos será posible apreciar en capítulos posteriores. De momento, sin embargo, es importante que entendamos que lo que vamos a enseñar a nuestro bebé no es cómo ir a dormir sino cómo permanecer dormido, es decir, volver a conciliar el sueño por propia voluntad después de haberse despertado por causas naturales.

Quedarse dormido

Quedarse dormido puede ser una experiencia aterradora para nuestro bebé. De hecho todos nosotros hemos experimentado la extraña sensación de perder conciencia. En ocasiones es un sentimiento agradable, parecido a como si flotáramos, mientras el libro que sosteníamos se nos cae de las manos o los ruidos se van desvaneciendo hasta convertirse en un murmullo de fondo. A veces ocurre, sin embargo, que sufrimos un sobresalto que nos pone en estado de alerta en el instante en que comienza a invadirnos el sopor como si existiera un reflejo primitivo de carácter activo que viene a advertirnos que resulta peligroso dormirse antes de que estemos seguros de que todo en nuestro entorno ofrece seguridad.

Para un bebé desvalido y totalmente dependiente, el verse separado de sus padres habría significado en otros tiempos una muerte segura por exposición a las inclemencias ambientales, carencia de alimentos o ataque de depredadores. Quedarse dormido es una forma arriesgada de separación. Mientras dormimos somos más vulnerables y es posible que sea un conocimiento instintivo de esta circunstancia lo que da lugar a que algunos bebés se resistan a dormir.

Para nuestro bebé, la experiencia de quedarse dormido es posible que le parezca como si estuviera cayendo literalmente por el espacio. Algunos siempre lloran un poco cuando se ven sometidos a ella mientras que otros se muestran inquietos y agitan la cabeza con movimientos bruscos como si intentasen mantenerse despiertos. Si consideramos lo que quedarse dormido nos hace sentir a nosotros, nos resultará más fácil reconocer las necesidades de nuestro bebé en dicho instante. No requiere que se le coja en brazos y se le despierte por completo y de este modo tener que comenzar de nuevo y desde un buen principio todo el proceso encaminado a conseguir que duerma, sino contar con una oportunidad que haga posible la transición desde el estado de vigilia al de conciliación del sueño valiéndose de sus propios medios. Una vez se le haya permitido el llevarlo a cabo con la suficiente frecuencia, en una atmósfera de seguridad y tranquilidad, ya habrá aprendido a confiar en sí mismo para realizarlo siempre que lo necesite. Con ello el proceso de dormirse por sí mismo se convierte en una acción familiar para él y lo más importante de todo es que adquiere valor de experiencia propia que se sitúa bajo su control. Quedarse dormido es algo que sólo podemos hacer por nosotros mismos si bien es cierto que otros pueden ayudarnos a conseguirlo. Y esto es igualmente válido para nuestro bebé.

Nuestro instinto nos lleva a hacer todo cuanto esté a nuestro alcance para el nuevo bebé. Respondemos a su situación de total dependencia con la creencia de que no puede hacer nada por sí mismo pero no debemos olvidar que aun cuando le demos el pecho o un biberón es él quien chupa la leche. Y que si concurren las condiciones apropiadas puede quedarse dormido. Aun antes de que haya nacido deberemos pensar acerca de su necesidad de dormir como tratándose de algo que le es indispensable y que nosotros podemos ayudarle en este ámbito hasta el momento en que haya aprendido a valerse por sí mismo.

Nacido para dormir

Mientras esperamos la llegada de nuestro bebé podemos sentar las bases que habrán de traducirse en unos buenos hábitos por lo que al dormir respecta y que deberán mantenerse a lo largo de toda su vida. De este modo nacerá ya inmerso en un programa que hará posible el que pueda dormir de un modo apropiado y que desde un principio nos permitirá que su experiencia en este terreno sea coherente y tranquilizadora. Aparte de ello podremos transmitirle nuestro convencimiento de que se trata de algo que pronto podrá realizar por sí mismo.

Debe tenerse en cuenta no obstante que no le será posible ejercer un control sobre su sueño durante algún tiempo y que la capacidad para mantenerse despierto de acuerdo con su voluntad no se desarrollará hasta bien avanzado el primer año, aproximadamente cuando ya haya cumplido los nueve meses. Constituye una realidad que el bebé nace sin tener la menor idea de lo que se espera de él; de hecho carece totalmente de ellas salvo por lo que se refiere al instinto de supervivencia que le hace buscar afanosamente el pezón materno y le lleva a resistirse contra toda separación de sus padres.

Al principio queda en nuestras manos el control de cuándo debe dormir el bebé, pero esto no significa que podamos conseguir que lo haga. Sólo supone que somos los que cuentan con los conocimientos necesarios y entendemos lo que el dormir representa para él, y es debido a tal circunstancia que somos asimismo los que nos hallamos en condiciones de proporcionarle lo que necesita para que duerma bien.

Plan para dormir y a desarrollar durante el embarazo

- Sentémonos, tranquilicémonos, cesemos en nuestros movimientos y pensemos. ¿Qué necesitará realmente nuestro nuevo bebé? ¿Qué necesitaremos realmente nosotros? Dormir ayuda a nuestro bebé a adaptarse a la vida fuera del útero materno y contribuye a que nosotros nos acostumbremos a convertirnos en padres.
- Dediquemos un pensamiento a nuestros propios hábitos por lo que al dormir concierne. Consideremos que de modo inconsciente transmitiremos nuestras propias actitudes a nuestro bebé.
- Cuando nos preparemos para dormir pensemos en lo que esta misma actividad significará para nuestro bebé y cómo podremos ayudarle para que duerma bien desde el primer momento.
- Tomemos buena nota de nuestras propias necesidades en cuanto al dormir: estar relajados, sentirnos seguros y cuán difícil resulta conciliar de nuevo el sueño si algo nos preocupa. Imaginemos pues a nuestro bebé con unas necesidades iguales.
- No nos preocupemos únicamente de las futuras noches plagadas de interrupciones. Considerémoslas únicamente como una breve etapa dentro del proceso que ha de llevar a nuestro bebé a aprender a dormir.

2 • ¿DEL DORMIR DE QUIÉN SE TRATA REALMENTE?

Enfoque centrado sobre los padres

«Tengo la impresión de que es sólo ahora cuando comienzo realmente a conocerlo al implicarme estrechamente con él del mismo modo que su madre lo ha estado desde un principio. Quizá se deba a que ella se mantuvo durante los nueve meses de embarazo conectada con nuestro bebé y que yo he necesitado un tiempo igual para ponerme al mismo nivel.»

Padre de Naomi, de nueve meses de edad.

Ayudar a nuestro nuevo bebé a dormir bien es una de las primeras cosas que tendremos que hacer como padres y después de decidir entre darles el pecho o el biberón, constituye la segunda elección en importancia. Sin embargo cabe que pensemos que no tenemos mucho donde escoger cuando de dormir se trata. Sabemos que nos gustaría que durmiera bien, pero quizá consideremos que esto sólo es una cuestión de suerte. Sin embargo no es así, como se pone de manifiesto en este libro. Es muchísimo lo que podemos hacer para que nuestro bebé desarrolle unos buenos hábitos con relación al dormir desde un buen principio, pero lo que realmente es posible que influya en grado máximo y determine una gran diferencia en el resultado no tiene nada que ver con el bebé. Es, ni más ni menos, la forma en que cuidamos de nosotros mismos.

Nosotros representamos el mundo

Nuestro nuevo bebé adquiere su idea global del mundo a través de nosotros, y por tanto todo cuanto hagamos ejercerá un impacto sobre él. Por lo que a él se refiere el mundo somos nosotros. Es escasa la percepción que tiene de sí mismo como individuo separado y también es fragmentada con relación a su entorno. Por consiguiente nosotros cumplimos un papel esencial como proveedores de alimento y comodidad, pero procede decir que en realidad somos mucho más que eso. De hecho constituimos su seguridad, su ancla y su guía en un nuevo y misterioso universo.

Este capítulo considera la clase de cosas que pueden afectarnos y hace difícil el que nos sea posible ayudar a nuestro bebé a conciliar el sueño. El siguiente destaca cómo los padres, pese a tratar de prestar su ayuda, pueden llegar a hacer imposible el que su bebé duerma. Por consiguiente, saber cómo es posible que se produzca esta situación es el camino mejor para asegurarse de que no acontezca. Estos dos capítulos son cruciales por lo que se refiere al enfoque encaminado a entender el dormir de nuetro bebé ya que si sin darnos cuenta impedimos que duerma, cualquier método que utilicemos para ayudarle a conciliar el sueño no tendrá ninguna posibilidad de alcanzar el éxito.

Nosotros tenemos la llave

La idea de que en nuestras manos se encuentra la posibilidad de que nuestro bebé duerma bien o mal constituye un arma de doble filo ya que significa que en nosotros recae el que podamos hacer algo al respecto. No debemos en modo alguno esperar que ocurra lo mejor y después salir del paso sin saber exactamente cómo, confiando en que las cosas se resolverán solas y preguntándonos qué podemos hacer cuando no es esto exactamente lo que ocurre. Por otra parte debemos destacar que no resulta fácil aceptar que el problema de nuestro bebé respecto al dormir es en realidad el nuestro. Incluso puede suceder que nos parezca que tenemos la culpa de que así acontezca. Sin embargo, no es así. De todos modos el hecho de que nuestro bebé se halle estrechamente vinculado a nosotros por lo que al comportamiento se refiere significa que no tiene sentido considerar su conducta como un hecho aislado. Son múltiples las cosas que pueden afectarnos sin que ni siquiera nos demos cuenta y que indirectamente también ejercerán su influjo sobre nuestro bebé. Pero subrayemos que en modo alguno la culpa es nuestra ni tampoco del bebé. Tampoco lo es de nuestra pareja ni de nuestra madre. Simplemente se trata de cosas que ocurren.

El bebé expresará nuestros sentimientos

El problema que supone el dormir de un bebé, es posible que sea el último eslabón de una cadena de dificultades presentes en la familia, la cual a menudo constituye el lugar en que se ponen de manifiesto tensiones y conflictos varios. Los adultos pueden reprimir sus sentimientos pero un bebé no, y ello implica que expresará todo cuanto sienta y una de las maneras de hacerlo es mostrándose incapaz de relajarse y de dormir.

A los padres no se les ofrece información sobre este aspecto del dormir de su bebé, por lo menos no hasta que se manifiesta la existencia de un problema relacionado con esta cuestión, el cual, por aquel entonces, es posible que ya sea muy acentuado. Esto evidentemente resulta injusto. Es posible que estemos haciendo lo correcto y proporcionemos a nuestro bebé las condiciones ideales para adquirir unos buenos hábitos por lo que a dormir respecta. Es asimismo posible que hayamos buscado en múltiples lugares que se nos aconsejara pero que ninguna de las recomendaciones recibidas nos haya sido de ayuda.

Como consecuencia de todo ello puede ocurrir que comencemos a sentirnos enojados hacia nuestro bebé o que nos consideremos a nosotros mismos unos fracasados como padres. Ya fuera de sí, es posible que simplemente decidamos abandonar toda esperanza de poder gozar de una noche de sueño reparador, pero la verdad es que nada puede resolver el problema planteado por un bebé que no duerme, cuando lo que existe es una confusión subyacente en la comunicación con él que significa que está recibiendo unas señales equivocadas para que concilie el sueño.

Los padres pueden verse fuertemente afectados por sus propias experiencias pero es posible que no les presten la atención suficiente para percatarse de ello. Lo que sentimos algunas veces se expresa a través de nuestro bebé, el cual captará incluso las emociones y las tensiones que nos pasan desapercibidas. Sus lloros o su incapacidad para dormirse parece que no tengan una causa obvia pero lo cierto es que pueden reconocer como origen nuestros propios sentimientos, los cuales a menudo se ven avivados por su llegada a nuestra vida.

El nacimiento

Tan pronto un bebé ha nacido, se espera de nosotros que situemos este hecho en una posición pretérita. Un «buen» parto, en el que todo se ha desarrollado sin novedad y el bebé ha llegado gozando de buena salud, es algo que puede darse por descontado en aquellas familias que han gozado de la fortuna de que así sea. Pero lo cierto es que supone una gran diferencia al comenzar una nueva vida junto a nuestro bebé. Nuestro grado de confianza como nuevos padres recibe un tremendo impulso si la experiencia sufrida ha sido buena y nos vemos sumidos en un aura de éxito y felicidad incluso antes de haber comenzado, lo cual se traduce en que nuestra tranquilidad de espíritu y el placer que nos invade se vea transmitido a nuestro bebé.

Un parto complicado, doloroso, difícil y presidido por el temor da lugar a que el proceso de ajuste resulte más arduo para cualquiera. Constituye una reacción natural querer olvidar una experiencia penosa una vez superada, en especial cuando a cambio de ella hemos sido recompensados con un nuevo bebé sobre el cual podremos centrar nuestra atención. Sin embargo puede ocurrir que esté en estado de shock después del trauma que ha supuesto su llegada e igual es posible que ocurra con nosotros. Resulta ciertamente muy difícil lograr un conocimiento mutuo como nueva familia cuando cada uno de los implicados se ha visto traumatizado de forma separada si bien por un hecho común.

Una operación de cesárea, por ejemplo, puede dejar a una madre inmersa en sentimientos encontrados. Se siente agradecida por el hecho de que su bebé esté a salvo y bien, pero en otro nivel es posible que se considere algo así como menos madre por no haber sido capaz de dar a luz de un modo natural. Algunas veces ocurre que estos sentimientos se reprimen con fuerza y sólo salen a relucir unos cuantos años más tarde. Ambos padres pueden sentirse trastornados y experimentar indecisión después de haber tenido que hacer frente a una operación quirúrgica totalmente inesperada además de al nacimiento de su nuevo bebé. Si el nuestro experimenta dificultades inmediatamente después de nacer, es posible que nos parezca que necesita doctores y enfermeras más de lo que precisa de nosotros. Todo esto vendrá a condicionar el inicio de nuestra vida juntos, quizá haciendo que nos resulte difícil sentirnos estrechamente ligados a nuestro bebé.

Los padres pueden sufrir terriblemente si no experimentan la sensación inmediata de que aman a su bebé pero existen buenas razones para que algunas veces se dé esta circunstancia y la verdad es que no significa nada de por sí, simplemente supone que nosotros y él cabe que necesitemos un poco más de tiempo. Sentirse mal a causa de ello puede ser un verdadero problema y es posible que consideremos que hay algo erróneo en nosotros debido a que nuestra reacción no ha sido la que esperábamos. Existe la posibilidad de que nuestro bebé nos haya causado una decepción como resultado de que no nos ha provocado lo que podría considerarse la respuesta «apropiada».

También un bebé que sea de apariencia diferente de la que habíamos imaginado durante el embarazo –de diferente sexo, por ejemplo– puede provocarnos un shock y esto también significa que requerirá más tiempo la iniciación del proceso encaminado a conocerlo y a aceptarlo tal como es.

Toda esta clase de sentimientos es probable que permanezcan reprimidos y apenas reconocidos en el curso de los decisivos primeros días o durante las semanas iniciales. Pero si existen, aun cuando permanezcan en situación ignorada, constituyen parte de nuestra relación con el bebé y pueden hacer más ardua una armonización con él y sus necesidades. Como resultado, se llega a la conclusión de que toda la labor de cuidar a nuestro bebé parece haber iniciado su andadura con el pie equivocado.

Convertirse en padres

Totalmente aparte del nacimiento en sí, el convertirse en padres supone un shock. La conocida como «melancolía causada por la llegada del bebé» y la propensión a llorar al cabo de pocos días del parto son invariablemente atribuidas a las hormonas pero también es de justicia reconocer que son una consecuencia perfectamente natural y una reacción apropiada a la trascendental experiencia a la que hemos estado sometidos. En general las personas se sienten temblorosas o inclinadas al llanto después de que el shock inicial de una crisis ha desaparecido y a este respecto procede señalar que el tener un bebé no constituye una excepción.

Convertirse en padres viene a ser un cambio profundo en nuestra identidad. Desde el mismo instante en que nacemos, nuestra vida se ha visto orientada hacia la independencia y la responsabilidad pero de repente todo el proceso se ve trastocado. Con el nacimiento de nuestro bebé adquirimos una responsabilidad plena respecto a otro ser, alguien que va a depender totalmente de nosotros para poder sobrevivir. Como persona que hemos creado y traído al mundo, el bebé es el que en primer término cuenta con unos derechos de carácter incondicional sobre nosotros.

Sea cual fuere la edad que tengamos cuando esto ocurra, viene a definir el momento en que nos convertimos de verdad en un adulto. De un día para otro dejamos de ser representantes de la generación más joven. Ayer todavía éramos niños de nuestros padres. Hoy, en cambio, somos también padres de alguien. La parte representativa del niño existente en nosotros debe pasar a un segundo término y la del adulto ha de interpretar un papel mucho más importante que antes.

Algunos padres culminan esta transición fácilmente y con naturalidad. Otros, en cambio, se encuentran con que es una verdadera lucha. Y una parte de ellos reconocen su existencia y se ríen de ella, como el padre de un niño de cuatro meses de edad que dejó crecerse el pelo, se compró una chaqueta de cuero con el anagrama de los Ángeles del Infierno y amenazó con inscribirse en un club de motoristas. «Estoy compitiendo con el bebé para conseguir que se me preste atención» admitió con tristeza. «No quiero convertirme en un ser de mediana edad y que se está aburriendo simplemente por el hecho de ser padre. Necesito sentirme activo, joven y libre».

El ser padres pone de manifiesto una nueva dimensión, para bien o para mal, y esto es algo que le ocurre a todo el mundo. La cuestión que parece dar lugar a la diferencia más acusada es hasta qué punto nos mostramos dispuestos a aceptar el cambio. Los padres potenciales que insisten en afirmar que el bebé no introducirá diferencia alguna en sus vidas, se enfrentan por este simple motivo a momentos difíciles, ya que lo que hacen es resistirse a lo que de todos modos les va a ocurrir. En cambio los que ya cuentan con que se producirá una gran alteración en todos los frentes y ya se muestran predispuestos a que así sea, parecen gozar con la transformación experimentada por su existencia.

Tener un bebé supone una crisis de identidad. Sabemos que somos padres pero esto no pasa de ser una simple etiqueta. ¿Qué significa para el individuo de carácter único representado por nosotros? Solamente viviéndolo podremos descubrirlo y conviene destacar que el impacto que tal circunstancia supone sobre el más profundo sentido de nosotros mismos viene a constituir un shock muy fuerte para nuestro sistema.

Falta de sueño

Resulta muy difícil para cualquiera que viva en una casa en la que se halla un bebé recién nacido, conseguir una noche entera de sueño reparador. Y encima de todo ello tenemos que es escasa la posibilidad de gozar de un buen descanso y acoplarse al trascendental momento de convertirse en padre. Un nuevo padre cabe que deba volver al trabajo en un plazo de pocos días y en cuanto a una nueva madre es posible que no disponga de ayuda alguna en el hogar.

La ausencia en particular de la etapa conocida como REM (movimiento rápido de los ojos), de carácter superficial y propiciatoria de sueños, afecta nuestra concentración así como nuestra capacidad de mantenernos optimistas y alegres. Sin embargo y desgraciadamente, éstas son exactamente las cualidades que necesitamos para prestar atención y responder adecuadamente a nuestro bebé e impartirle el convencimiento de que todo marcha bien en este extraño mundo al que acaba de llegar.

Supone una ayuda ser consciente de que el no dormir lo suficiente puede en sí mismo provocar la aparición de sentimientos dominados por la confusión y la desesperanza. También ayuda el poder aprovechar cualquier momento de descanso que se nos ofrezca. Es muy fácil perder el sentido de la perspectiva e iniciar una actividad frenética cada vez que ponemos el bebé a dormir. Recordemos que el trabajo puede ser un medio de evitar nuestros sentimientos y por tanto no debemos desperdiciar este espacio importante de tiempo dedicándolo a aspectos que no son en modo alguno esenciales. Alimentémonos con comida adecuada. Dejemos de lado las labores domésticas. Aplacemos lo que no sea imprescindible y dejemos de prestar atención a algunas cosas. Durante dos o tres semanas, esta actitud no revestirá importancia alguna. En cambio, nosotros, la relación con nuestra pareja y con nuestro bebé sí la tienen y ello es lo que verdaderamente importa.

Si podemos disponer de alguna ayuda probemos a canalizarla hacia el planchado, la limpieza de la casa y el cocinar. A algunas abuelas es posible persuadirlas para que se hagan cargo de esto último. Las ofertas para apartar el bebé de nuestros brazos son bienintencionadas y ello será motivo de gratitud por la pausa circunstancial que supondrá. Pero todo esto no debe hacernos olvidar que estos primeros días constituyen una especie de inversión en lo que se refiere a la relación con nuestro bebé y que representan el momento de comenzar a conocerse mutuamente como componentes de una familia. Cuanto más tiempo pasemos junto a nuestro nuevo bebé, más pronto nos familiarizaremos con el significado de los diversos sonidos que emita y, por tanto, también con mayor rapidez confiará en nosotros para atender sus necesidades y comenzar a sentirse seguro en su mundo.

Nuestra propia infancia

Los padres primerizos se encuentran en una etapa emocionalmente vulnerable. La total dependencia de nuestro bebé y la urgencia de sus exigencias es posible que vengan a remover unos sentimientos que quizá no acertemos a reconocer, pero que guardan relación con la forma en que fuimos cuidados cuando éramos nosotros los que nos encontrábamos en una situación de dependencia y necesidad.

Tener un bebé nos retrotrae al momento en que nosotros también lo éramos. Por dicho motivo nos encontraremos con que ponemos de manifiesto ciertas reacciones con relación a nuestro bebé que se caracterizan por ser instintivas y automáticas. Tales reacciones, procede señalarlo, tienen sus raíces en nuestra propia experiencia durante la infancia. Puede ocurrir que nos encontremos cantando canciones de cuna que no sabíamos que conociéramos o hablando a nuestro bebé de un modo particular y todo ello sólo para descubrir que nuestra madre nos hablaba exactamente del mismo modo.

La forma en que cuidamos a nuetro bebé viene a ser una repetición de aquella que en otros tiempos se nos aplicaba a nosotros. Uno de los problemas más difíciles a que una madre primeriza es probable que deba hacer frente, es aquél en que estas reacciones de carácter automático entran en conflicto con la clase de madre que quiere ser. Supongamos, por ejemplo, que consideramos que deberíamos haber sido tomados en brazos y estrechados amorosamente con mucha mayor frecuencia cuando éramos bebés. Debido a tal circunstancia es posible que nos mostremos decididos a que en nuestro caso las cosas serán diferentes, es decir, que nuestro bebé será objeto de un elevado número de amorosos abrazos, lo cual viene a significar que deseamos activamente hacer lo contrario de lo que estimamos que nos sucedió a nosotros. Sin embargo, cuando nuestro bebé llora nos encontramos frente al dilema de que si lo cogemos en brazos tal medida puede malcriarlo. Ésta es una reacción de tipo automático que nos parece natural mientras que el modo en que hemos decidido ocuparnos de nuestro bebé es posible que no lo sea.

El mismo proceso puede actuar de otra manera. Supongamos, una vez más, que nuestra infancia nos dejó con un sentimiento de que no fuimos objeto de una atención suficiente. Debido a ello nos lanzamos a consolar y a abrazar cariñosamente a nuestro bebé cada vez que rompe a llorar. Pero con este proceder es posible que estemos pensando en el bebé que una vez fuimos antes que en el que tenemos ahora. Es probable que éste considere que recibe mucha atención pero lo que es posible que necesite de nosotros es una señal de nuestra confianza para poder valerse por sí mismo.

La relación con nuestra pareja

Todo parece girar en torno a un nuevo bebé y con ello las necesidades de los padres primerizos se descuidan con facilidad. Los padres sobre todo con frecuencia no reciben atención alguna y no debe sorprender el que repriman sus sentimientos. En algunos casos los padres y las madres de carácter primerizo se comprenden muy bien el uno al otro y se apoyan mutuamente a medida que se adaptan a la vida que supone constituir una nueva familia. Algunas veces ocurre, sin embargo, que la experiencia de convertirse en padres afecta a dos personas de modo totalmente diferente y reaccionan de una manera que provoca la aparición de un profundo abismo de incomprensión entre ambas. Resulta por consiguiente vital mantener abiertos los canales de comunicación con nuestra pareja cuando es tanto y tan importante lo que se halla en juego.

——— o ———

«Cuando nuestro bebé, Naomí, tenía pocas semanas de edad», dice Michelle, «Dan me dijo que se sentía como si me hubiera alejado de él. Yo ya no tenía la energía necesaria para charlar durante la velada. Cuando el bebé ya se había dormido, lo que por encima de todo quería era descansar, leer y estar conmigo misma durante un rato después de atender a todas sus necesidades a lo largo del día. Pero yo sabía que esto formaba parte del proceso de adaptación y era mi forma de cuidar de mí misma así como del bebé.

»Le dije que todo iría bien y que no había nada de qué preocuparse. Añadí que todo lo que tenía que hacer era estar presente para nosotros. Estaba preocupado pero yo no y por ello consideré que debía tomar la iniciativa para tranquilizarle. Pero también era consciente de que contaba con él para que tuviera la necesaria confianza para creer en mí y apoyar mi labor. Creí que lo haría y así ocurrió.»

——— o ———

Los padres pueden prestarse un gran apoyo mutuo a través de sus propias experiencias así como en el cometido de ayudar a su bebé a sentirse seguro al objeto de que pueda adoptar con rapidez unos ritmos regulares tanto por lo que se refiere al régimen de comidas como al dormir. Sin embargo, algunas veces ocurre que los padres provienen de familias en las que los bebés reciben tratos muy diferenciados y aun cuando esta circunstancia es posible que nunca haya aflorado en su relación previa, cuando cuentan con un bebé propio entonces descubren que sustentan ideas muy distintas acerca de qué es lo mejor para él. El resultado puede venir representado por discusiones y tensiones en un momento en que todos necesitan una comprensión máxima, un buen apoyo y tranquilidad de espíritu. Una vez más tenemos que lo mejor es tratar de poner de manifiesto las experiencias propias y reconocer su existencia. Los hábitos y las presunciones fuertemente arraigados en el seno familiar giran la mayor parte de las veces en torno a cosas nimias, como por ejemplo cuál ha de ser la primera comida del bebé o bien cómo deberá vestírsele. No obstante resulta de todo punto obvio que el que lleve mitones o no es algo que carece de importancia y que lo que verdaderamente cuenta es que exista un clima de armonía a su alrededor.

Nuestros padres

La relación con nuestros padres también sufre un cambio cuando tenemos un bebé. Se produce entonces una gran transformación en el papel que incumbe a cada uno ya que nosotros pasamos a ejercer la función de padres y ellos se convierten en abuelos. Algunas veces esto supone una difícil transición debido a que nuestros padres pueden experimentar cierta dificultad en pasar a un segundo plano y transferirnos la función de paternidad. Es posible que no se sientan preparados para ser abuelos, con todo lo que esta nueva identidad significa para ellos o también puede ocurrir que no estén en condiciones de responder a nuestras preguntas y ayudarnos de la forma en que nos gustaría que hiciesen.

Tener un bebé propio provoca la aparición de nuevos sentimientos con respecto a nuestros padres. Es posible que los respetemos todavía más al darnos cuenta por primera vez de cuánto tuvieron que esforzarse y del buen trabajo que llevaron a cabo para cuidarnos. Asimismo es posible que suceda, quizá también por primera vez, que nos parezca que no fueron unos padres adecuados en ciertos aspectos. Si ello es así, en ocasiones se da el caso de que se produzcan tensiones y resentimientos de carácter subyacente pese a que todo aparente estar en orden en la superficie.

Existe la posibilidad de que nos sintamos trastornados o resentidos si necesitamos a nuestros padres y éstos, por una u otra razón, no se encuentran disponibles. Se cuenta con evidencia que viene a demostrar que las madres cuya propia madre ha muerto antes de que sus bebés hayan nacido cuentan con mayores posibilidades de que éstos sufran problemas relacionados con el dormir. Quizá acontezca que la ausencia del apoyo de su propia madre en su nuevo papel maternal haga que tengan menos confianza en sí mismas y se sientan menos capacitadas para transmitir la tranquilidad necesaria a sus bebés.

Enojo

Podemos estar enfadados con nuestro bebé por toda clase de motivos. Quizás el parto fue difícil y vemos al bebé como siendo la causa directa de nuestro estado de shock y aflicción o también es posible que sintamos resentimiento hacia él por recibir tantas muestras de amor y atención, si consideramos que nosotros no las conseguimos en grado suficiente. Es igualmente posible que nos exaspere el tratar de consolarlo cuando llora, cuando lo cierto es que nosotros también sentimos impulsos de ponernos a sollozar. En especial cuando nos hallamos faltos de dormir y con ello las probabilidades son más elevadas de que veamos las cosas con una perspectiva distorsionada, es grande el riesgo de que nos mostremos agresivos con nuestra pareja o nuestros propios padres. Si tratamos de evitar que se produzca una escena violenta con ellos, esto puede significar que nuestro enojo se verá expresado en el trato con nuestro bebé y por tal motivo no resulta en modo alguno inusual el que haya momentos en que lleguemos incluso a sentir que odiamos a nuestro bebé.

Conviene destacar, no obstante, que los sentimientos de esta clase son absolutamente naturales. No nos sintamos pues culpables si nos asaltan de vez en cuando y no los reprimamos por el simple hecho de creer que son «equivocados». Lo mejor que se puede hacer es ponerlos de manifiesto ante alguien que no esté excesivamente implicado emocionalmente, quizás un amigo comprensivo o nuestra asistenta social. Es muy posible que sumidos en llanto nos veamos exclamando: «¡Estoy tan cansada que después de que se haya despertado cinco veces la noche pasada y haya estado llorando durante la mitad del día he acabado odiándolo!» Esto no debe preocuparnos pues todas las madres han experimentado esta clase de sentimientos alguna vez y lo realmente importante es recordar que sólo se trata de reacciones perfectamente comprensibles. A menudo el poder describir la forma en que nos sentimos supone un alivio tal que nos permite reírnos de todo ello pocos minutos después.

Disponer de un hombro en que apoyarse para llorar constituye una buena válvula de escape ya que nos permite reconocer nuestras situaciones de estrés y de tensión y nos libera para poder volver a experimentar sentimientos de cariño y afecto. Si alguna vez nos parece que nuestro enojo corre el riesgo de escapar a nuestro control, es absolutamente esencial informar de ello a alguien responsable por amor a nuetro bebé.

Mantengamos nuestra atención centrada en nosotros mismos

La respuesta a todos estos escollos potenciales es tratar de tener plena conciencia de su existencia. Tan pronto como encontremos el modo de poder pensar acerca de nuestros propios sentimientos, nuestras necesidades y nuestras experiencias resulta posible separarlos de la relación que mantenemos con nuestro bebé. Si así procedemos, tal medida puede tener el efecto de que le impulse a dormir ya que constituirá un alivio para él dejar de verse implicado en nuestros estados de ansiedad.

Para que esto sea así es de vital importancia que nos mantengamos con la atención fuertemente centrada en nosotros. Nuestro bebé es una parte de nuestro ser y él cree que somos parte de él. La verdad, sin embargo, es que no es así. Nuestro bebé es importante pero en modo alguno más que nosotros. De hecho y en cierto modo lo es menos. Sus necesidades son más sencillas y así tenemos que si estima que está caliente, bien alimentado, convenientemente amado y debidamente seguro, entonces considerará que todo marcha bien. No cuenta todavía con un largo y complejo historial que es preciso tomar en cuenta.

Precisa tener presente que la labor que debemos llevar a cabo es mayor que la suya, la cual consiste en adaptarse al mundo que le rodea. Y esto es algo que le resulta posible gracias a nuestra ayuda. De hecho no podría conseguirlo sin nuestra intervención. Debemos, por consiguiente, serlo todo para él pero al mismo tiempo es necesario que también nosotros sigamos un proceso de reajuste en la relación con nuestra pareja y nuestra familia como consecuencia de la nueva posición alcanzada, es decir, la de padres, y también para recuperarnos de la experiencia que ha supuesto el parto. Hay que convenir que se trata de un cometido que requerirá un apreciable esfuerzo.

Nuestro bebé sabe muy bien cómo hacer sentir su presencia y expresar claramente sus necesidades. Aun cuando resulta fácil sentirse empujado hacia una posición secundaria, lo mejor es mantener siempre presentes también las nuestras ya que necesitamos cuidar de nosotros tanto como del bebé y ello por el bien de éste así como el nuestro. De ello no es necesario que derive conflicto alguno al tratar de determinar quién viene en primer lugar ya que es más una cuestión de ser conscientes de nuestras necesidades considerando al mismo tiempo las del bebé y tratar de establecer un equilibrio con el propósito de que nadie salga perjudicado. Si cuidamos de nosotros mismos resulta menos probable que nuestro bebé absorba conflictos y tensiones que pueden interferir con su dormir.

No debemos olvidar que nosotros y nuestro bebé nos hallamos estrechamente vinculados y que como consecuencia de tal circunstancia nuestros sentimientos y pautas de conducta le afectan tanto como los de él influyen sobre nosotros. La relación, por consiguiente, debe funcionar en sentido bidireccional y en modo alguno como un incesante drenaje ejercido sobre nosotros sin que intervenga reposición alguna. Y la única forma en que nos va a resultar posible conseguir este propósito es no perdiendo de vista nuestra propia existencia.

Es de todo punto evidente que nada podemos hacer con relación a nuestros sentimientos pero si reconocemos que son los nuestros y el motivo por el cual los experimentamos, el resultado será liberatorio ya que nos permite salirnos de un ciclo estéril en el que hemos venido culpando a todo el mundo y tratado de hallar soluciones en todas partes y al mismo tiempo hace posible comenzar a encontrar algunas respuestas exclusivamente nuestras. En resumen, nos indica el camino para enfrentarnos con nuestros sentimientos y deja en libertad a nuestro bebé para que duerma y crezca tal como le corresponde.

Plan para dormir centrado en los padres

- Cuidemos de nosotros mismos, tanto por consideración hacia nuestro bebé como hacia nuestra persona.
- Esforcémonos en descubrir todas las fuentes de conflicto y de tensión presentes en nosotros que sean susceptibles de verse transmitidas a nuestro bebé. Si estamos enojados, hablemos con alguien acerca de ello. Nuestros sentimientos son importantes.
- Cuando pensemos en nuestro bebé hagámoslo también respecto a nosotros. Recordemos que somos todo su mundo.
- Procuremos compensar las noches truncadas con un descanso y una relajación adicionales y concedámonos asimismo momentos de reposo cuando estemos faltos del tiempo exigido para gozar de un sueño reparador.
- Si disponemos de la ayuda de alguien, esforcémonos en aprovechar esta circunstancia para pasar más tiempo, de un modo relajado, junto a nuestro bebé. Es una buena inversión en nuestra relación mutua.
- Reconozcamos el impacto del nacimiento y de la experiencia representada por el hecho de habernos convertido en padres.
- Mostrémonos conscientes de nuestros propios sentimientos y aceptemos y comprendamos los de nuestra pareja, aun en el caso de que sean distintos de los nuestros.
- No echemos las culpas a nadie, en especial a nosotros mismos.

3 • DEJADME DORMIR

Cómo impedir que nuestro bebé duerma

«En un principio nuestra intención fue que durmiera en nuestra cama pero lo hacía tan mal que ello era imposible. Tampoco era mejor el resultado si instalábamos su cuna en nuestra habitación. Lo probamos todo, incluidos programas especiales para conciliar el sueño. Finalmente yo dije: "Ya lo tengo, debe dormir en otra habitación". Esto ocurrió hace un mes y desde entonces ha dormido durante toda la noche.»

Madre de Zacarías, de un año de edad.

Al esforzarnos para que nuestro bebé reciba el mejor cuidado posible puede ocurrir que el mismo resulte excesivo. Es posible que estemos haciendo demasiado en este aspecto, que le prestemos una atención desproporcionada y que reaccionemos de forma desmedida a sus exigencias. Con este proceder puede ocurrir que lleguemos a un punto en que lo hagamos todo por él salvo dejarle solo. Y esto es probablemente lo que realmente necesita.

El título de este capítulo es, por supuesto, ligeramente irónico ya que nadie pretende realmente impedir que su bebé duerma pero la verdad es que esto sucede fácilmente sin que exista la intención de que así sea y el efecto es el mismo que si deliberadamente concurre el propósito de interferir en su dormir. Algunas veces lo más difícil es no hacer nada en absoluto y lo cierto es que en determinadas ocasiones es exactamente ésta la medida que conviene adoptar.

Cuando un bebé llora nuestra conclusión es que necesita nuestra ayuda. Y algunas veces es esto lo que en realidad ocurre pero en otros casos no es así. Existe un lloro que viene a decir: «Ayudadme a dormir» y tiene su origen en un bebé que se siente incómodo o que necesita que se le tranquilice.

Pero también existe un lloro que dice: «Dejadme dormir» y proviene de un bebé que percibe en grado tan acusado la presencia de sus padres que no puede relajarse en la soledad que exige el dormir. En lugar de sentirse tranquilizado por la atención que le prestan sus padres, lo que ocurre es que con ella recibe un sobreestímulo.

¿Cómo se produce el hecho de que los padres impidan dormir a sus bebés? A decir verdad ningún padre quiere que su bebé se despierte varias veces por la noche o que la hora de ir a la cama se convierta en una prolongada y agotadora lucha. Nadie quiere tanto que un bebé duerma como aquellos padres que no han gozado de una noche sin interrupciones desde hace más de un año. Sin embargo es posible que surjan una serie de tensiones entre nosotros y nuestro bebé que conviertan el dormir en un propósito imposible de alcanzar.

Nuestros sentimientos, actitudes, creencias y hábitos vienen a moldear la relación mantenida con nuestro bebé tal como ya se explicó en el capítulo 2. Aun cuando es cierto que ha nacido biológicamente adaptado para que de un modo gradual pueda dormir toda la noche, también lo es que este proceso puede verse fácilmente alterado o diferido. Si el bebé recibe unas señales claras de que la noche es el momento en que debe dormir así como de que su mundo es un lugar seguro y de que sus padres confían en él para que salga adelante sin su presencia hasta la mañana siguiente, entonces dormirá mucho mejor que otro bebé que no perciba estas señales.

La alimentación nocturna

Una de las razones más comunes para que un bebé se despierte por la noche la tenemos en aquellos casos en que la alimentación nocturna se mantiene más allá de lo que físicamente necesita. Con ello se hará imposible el que pueda consolidar el dormir y convertirlo en un prolongado e ininterrumpido periodo de tiempo.

La relación existente entre la alimentación y el dormir se discute de modo detallado en el capítulo 6. Aquí, aun cuando consideramos la forma en que nuestro influjo puede impedir que nuestro bebé duerma, centraremos nuestra atención sobre un ejemplo específico. Es importante entender cómo puede llegarse a esta situación, ya que de igual manera que conscientemente nadie quiere mantener a su hijo despierto, tampoco le da de comer sin el convencimiento de que lo necesita. Puede que así sea pero también es posible que ocurra lo contrario. La cuestión es que cuando creemos que sí precisa de alimento, esta circunstancia es posible que nos impida captar las señales de que la comida no constituye la solución. De hecho éste puede ser el verdadero problema.

—— ○ ——

Paula se hallaba plenamente convencida de que su propia madre no había sido la que le habría gustado que fuese. Tenía la impresión de que se había mantenido excesivamente inmersa en sus propias preocupaciones y ello le había impedido entenderla adecuadamente cuando todavía era una niña. Paula estaba decidida a ser una clase de madre distinta y por consiguiente a estar en todo momento no sólo al lado de sus hijos sino en contacto constante con sus necesidades.

Paula reaccionaba ante cualquier lloro nocturno de sus bebés dándoles de comer. Durante el primer año de vida de cada uno de ellos no dejaron de llorar en demanda de alimento varias veces a lo largo de la noche. Las interrupciones en el dormir se traducían en irritabilidad a lo largo del día y su apetito era más bien menguado después de haber ingerido tanta leche por la noche. Sin embargo no cabía sorprenderse de que así fuera. El misterio residía realmente en el motivo por el cual Paula seguía alimentando a sus bebés por la noche cuando sabía de sobra que ya tenían edad suficiente para poder prescindir de tal medida.

Podemos suponer, sin riesgo de equivocarnos, que este proceder satisfacía la necesidad de Paula de aparecer como una madre atenta y dedicada en la forma que consideraba que le había faltado a ella cuando era un bebé. La manera de consolar a sus bebés cuando lloraban era dándoles de comer, lo cual constituye un símbolo de buen hacer maternal en nuestra sociedad. Aun cuando la necesidad fundamental de sus bebés era la de poder dormir, Paula no estaba en condiciones de apreciar esta circunstancia de una forma clara debido a estar preocupada por sus propios impulsos. Su instinto sólo la llevaba a darles de comer. Necesitaba en suma sentirse diferente de su madre y el levantarse por la noche para atender a sus bebés venía a ser una manera de satisfacer este impulso.

El aspecto importante es que Paula creía que estaba haciendo lo mejor por sus bebés. La espectacular mejora que en el bienestar de sus bebés pudo apreciarse después de que cesasen las comidas nocturnas y pudiesen dormir de forma continuada puso de manifiesto que lo que realmente necesitaban era un sueño reparador. Desgraciadamente, cuando uno se halla preso de actitudes y hábitos instintivos puede resultar difícil ver a un bebé como una persona poseedora de unas necesidades propias y diferenciadas y totalmente separadas de las nuestras.

——— o ———

Nuestras necesidades y las de nuestro bebé

La experiencia de Paula viene a demostrar cuán fuertemente entrelazados se encuentran los hilos que constituyen la base del problema del dormir en un bebé. Ella impedía que sus bebés durmiesen, pero ello no obstaba para que creyese que atendía sus necesidades. Darles de comer parecía ser lo correcto y esto, por su parte, reconocía como origen sus sentimientos con relación a su propia infancia. Afortunadamente, desenmarañar todo el enredo acostumbra a ser mucho más sencillo que la forma en que nos metimos en él. Todo lo que Paula tuvo que hacer fue dejar de darles de comer por la noche. Gracias a tal medida pudieron dormir sin despertarse para tomar el alimento que ya se habían acostumbrado a recibir. Y Paula se vio liberada para poder considerar sus propios sentimientos en paz mientras sus bebés permanecían sumidos en apacible sueño.

Esta clase de embrollo puede surgir en torno a toda clase de situaciones. Se inicia en los sentimientos de los padres y finaliza con un problema que imposibilita dormir.

Los padres que se hallan ausentes todo el día por motivos de trabajo es natural que quieran pasar el mayor tiempo posible junto a su bebé al final del día y algunas veces también cuando se despierta en mitad de la noche. Si nuestro bebé se va a la cama tarde o bien jugamos con él cuando se despierta por la noche es posible que con ello demos satisfacción a nuestra necesidad de estar en su compañía. Quizá consideremos en tales circunstancias que el bebé precisa asimismo estar junto a nosotros. Si éste es el caso, debemos señalar que le resultará imposible establecer una pauta realmente sólida por lo que al dormir se refiere ya que parte de su conducta diurna se verá trasladada a un momento en que debería gozar de una noche de prolongado e ininterrumpido sueño. Sin embargo si nos decidimos por esta elección, lo mejor será considerarla como siendo de carácter definitivo y mostrarnos positivos y honrados respecto a ella. Es mejor para él irse a la cama más tarde después de haber disfrutado de unos momentos felices junto a nosotros que verse abocados los dos a un forcejeo respecto a una hora de irse a dormir acerca de la cual nuestros sentimientos se muestran contrapuestos. De este modo no surgirá conflicto alguno por lo que al dormir se refiere y resultará más fácil ayudar a nuestro bebé a recuperar el sueño perdido cuando pueda. Así tenemos que puede, por ejemplo, beneficiarse con dicho fin de una prolongada siesta matinal.

Algunas veces todo lo que precisa hacer es reconocer nuestros propios sentimientos y ocuparnos de ellos separadamente de los de nuestro bebé. Si así procedemos, tal medida nos permitirá concentrarnos en lo que él nos está señalando que realmente requiere en lugar de lo que nosotros creemos que necesita.

Forma en que nuestro bebé capta la tensión existente en nosotros

Para dormir bien nuestro bebé necesita sentirse cómodo, bien alimentado y relajado. Y para relajarse es preciso que experimente una sensación de seguridad. Este aspecto, sin embargo, a menudo se descuida, lo cual da lugar a que los padres consideren, después de que su bebé ya haya comido y se encuentre cómodamente instalado, que debería poder dormir. Se comprende por tanto que se sientan perplejos y frustrados cuando tal circunstancia no se da.

Es posible que ello se deba a que se siente inseguro. Si tenemos en cuenta que constituimos su mundo, aparece lógico que si percibe síntomas de tensión o conflicto en nosotros dicho mundo sufra un trastorno. No se trata ciertamente de que nuestros pensamientos resulten transmitidos, como por arte de telepatía, a nuestro bebé. Es mucho más sencillo que todo esto. Aun cuando no estemos pensando en cómo nos sentimos, lo cierto es que la ansiedad produce tensión en nuestro cuerpo y nuestro bebé la detecta en el momento en que lo cogemos en brazos y esto le hace sentirse inquieto.

No puede por consiguiente relajarse y gozar de su comida. Es posible que busque separarse de nosotros y que coma en una posición incómoda. Ello traerá como consecuencia el que su comida no sea en modo alguno satisfactoria y que quizá rompa a llorar como resultado de una combinación de indigestión, hambre y ansiedad. No podrá, en tales condiciones, conciliar el sueño. Las emociones de un bebé de muy corta edad son inseparables de sus procesos físicos y las expresará a través de perturbaciones ya sea en el dormir o en el comer.

Vale asimismo la pena recordar que lo que podríamos denominar conjunto de componentes químicos de las emociones de su madre, es factor con el que se halla familiarizado desde que se encontraba en el útero. El flujo de adrenalina que hace acto de presencia en nuestro sistema cuando sufrimos un sobresalto o nos asalta un temor hace que nuestro bebé nonato vea aceleradas sus pulsaciones. Las endorfinas, o sea los elementos químicos que nos producen una sensación de bienestar, también son compartidas por el bebé que todavía no ha nacido y podemos por consiguiente afirmar que para bien o para mal participa en nuestros estados emocionales antes de llegar a este mundo.

Como bebé recién nacido seguirá reconociendo nuestra piel y el olor que la misma desprende y es precisamente debido a esta circunstancia que experimentará una inmediata sensación de pánico, por ejemplo, cuando concurra la presencia de un componente tan fuerte como la ya citada adrenalina. Si sentimos temor o inquietud cuando vamos a tomarlo en brazos es posible que perciba la presencia de señales que le advierten de que se halla en peligro. Y si esta tensión que le llega a través de nuestro cuerpo alcanza un nivel elevado, el estrés que de tal hecho se deriva puede ser superior a lo que está en condiciones de soportar.

El momento del baño constituye un buen ejemplo. Si nos sentimos angustiados y temerosos por sostener en el agua a nuestro escurridizo bebé, éste experimentará un acusado sentimiento de inseguridad ya que no existe nada que sea peor en su reducido mundo que un progenitor nervioso. Para él un mundo así carece de seguridad y constituye motivo suficiente para sentir pánico. Es probable que lance agudos chillidos, lo cual no contribuirá en modo alguno a mejorar nuestra confianza. Una buena solución en una situación así es meter al bebé en el baño junto a nosotros, pues el sostenerlo apoyado contra nuestro cuerpo hace que ambos nos sintamos más seguros.

En general, el relajarnos supone una enorme diferencia con relación a cómo nuestro bebé se siente y se comporta. Por ello, antes de cogerlo en brazos, eliminemos la tensión presente en ellos y en nuestras manos e imprimamos unos cuantos movimientos oscilatorios a nuestros hombros y a nuestro cuello. Tomemos asimismo aire profundamente varias veces y antes de que comencemos a dar de comer a nuestro bebé tomémonos un minuto extra para asegurarnos de que estamos cómodos y con la espalda bien apoyada. Hagamos descender los hombros y acerquemos el bebé a nuetro cuerpo en lugar de inclinarnos hacia él. Finalmente y mientras le damos la comida asegurémonos de que nuestros hombros permanecen en posición descendida y libres de toda tensión.

Confiemos en nuestro bebé para que duerma

Nuestro bebé necesita nuestra ayuda para sentirse seguro. Para relajarse y conciliar el sueño es preciso que note que se halla a salvo y con ello poder bajar la guardia. Si no recibe este mensaje de parte nuestra, se mostrará extremadamente cauto y también inquieto, lo cual dará lugar a que no se decida y por tanto no se duerma.

Incluso nosotros es posible que no creamos realmente que constituye una medida aconsejable dejar a nuestro bebé que se duerma. Si no estamos convencidos de que puede valerse por sí mismo sin nuestra ayuda para llegar a la mañana siguiente, el resultado será que efectivamente no podrá. Toda la atmósfera de tensión en torno a la posibilidad de dormir le provocará un sentimiento de preocupación y hará que se mantenga más despierto que nunca y además dominado por una gran inquietud. Las diversas maneras de carácter práctico para hacer frente a la ansiedad y conseguir que el bebé duerma son objeto de consideración en el capítulo siguiente y se refieren a las primeras semanas de vida. Aquí lo que sometemos a examen es cómo nuestra propia experiencia puede llevar indirectamente a nuestro bebé a que le resulte imposible conciliar el sueño.

Abrigar el sentimiento de que no resulta seguro permitir a nuestro bebé que duerma tiene sus raíces en nuestra propia vida. Si durante nuestra infancia hemos experimentado el dolor de una pérdida o de una penosa separación, el poner nuestro bebé a dormir y alejarnos de él durante la noche puede remover el recuerdo de dicha dolorosa situación. En tal caso es posible que ocurra que transmitamos unos confusos mensajes a nuestro bebé ya que mientras le estamos diciendo que ha llegado el momento de irse a dormir, él percibe la verdad emocional de nuestro conflicto e incertidumbre. Nuestra forma de proceder, el tono de nuestra voz y la tensión presente en nuestro cuerpo conllevan unas señales cuya intensidad supera a cualquier otra cosa que hagamos o digamos. Él espera de nosotros que le digamos lo que es seguro y lo que no lo es. Si nosotros no mostramos una confianza absoluta con relación a determinados aspectos, tampoco él confiará en sí mismo.

Si nos sentimos realmente preocupados, entonces es probable que nuestro bebé se despierte para asegurarse de que estamos bien. Nos conviene tener presente que para él nosotros somos su mundo y que si considera que éste se encuentra expuesto a alguna clase de amenaza resulta comprensible que necesite contar con el convencimiento de que todavía se halla presente cuando durante su sueño nocturno se agite intranquilo.

Algunas veces esta situación viene provocada por una crisis familiar. Cuando por algún motivo estamos algo trastornados resulta difícil estar en armonía con nuestro bebé. La preocupación vinculada a nuestros propios sentimientos supone que no disponemos de tiempo para pensar en él o prestarle una cuidadosa atención. Sin embargo, probablemente podrá volver a conciliar el sueño sin problemas cuando la crisis emocional haya pasado.

Confianza

Procede destacar que con mucha frecuencia no se encuentra una situación que cabría calificar de catastrófica detrás de un proceso culminado por un estado de ansiedad. Simplemente puede ocurrir que algo esté minando la confianza en nosotros mismos. Cuidar un bebé supone una enorme responsabilidad y llegar a conocerlo también constituye un proceso complejo, en especial si es el primero y al mismo tiempo estamos aprendiendo los principios básicos que el atenderlo implica. No ha de sorprender, por consiguiente, que nuestra confianza algunas veces vacile un poco.

Es importante recordar que necesitamos apoyo y tranquilizarnos tanto como nuestro bebé y ello tanto en beneficio suyo como nuestro. Esta condición forma parte de lo que precisamos para cuidar de él y, por consiguiente, no hemos de vacilar en pedir que se nos conceda.

Conviene tener presente que la confianza se adquiere con rapidez a partir del instante en que nos es posible eliminar de nuestra mente todo pensamiento contrario y concentrarnos en prestar atención a los lloros de nuestro bebé para determinar qué significan. Con ello situamos la mente fuera del influjo de nuestra propia ansiedad y ayudamos al bebé a sentirse comprendido y tranquilizado.

Cuando nuestro bebé llora

Cuando nuestro bebé llora evitemos preocuparnos acerca de qué es lo que puede estar mal. Adoptemos, de un modo deliberado, un tono de voz tranquilo y alegre. Reconozcamos que está algo trastornado pero no lo convirtamos en un gran problema. Un bebé, cuando llora, cierra los ojos y se encierra en sí mismo y es por ello que resulta mucho más fácil determinar lo que le molesta o preocupa si podemos conseguir que abra los ojos y restablezca de nuevo la conexión con nosotros. A menudo el apelar directamente a él no da ningún resultado pero en cambio desviar su atención tanto de él como como de nosotros sí funciona. Por consiguiente podemos decir algo así como :

«Comprendo que estés trastornado pero no te preocupes, lo resolveremos. ¡Oh, mira! Puedo ver un gato. ¡Míralo!»

Imitemos los maullidos de un gato, levantémoslo hacia lo alto, en fin hagamos cualquier cosa que pueda distraerle y le impulse a abrir los ojos. Con ello se interrumpe el ciclo que da lugar a que ambos nos alimentemos con la tensión del otro y hace que regrese del estado de incoherencia en que se hallaba sumido. Tan pronto como esté un poco más calmado nos será posible determinar si está demasiado caliente, o cansado, o enojado, o lo que sea.

Si pese a todo sigue en su actitud y nosotros comenzamos a sentirnos tensos, resulta de ayuda dejarlo en un lugar seguro, salir de la habitación, respirar profundamente varias veces y decirnos a nosotros mismos que no hay nada que esté realmente mal, tanto por lo que se refiere a nuestra persona como al bebé. Tras ello podemos volver a su lado con una actitud mental más tranquila para transmitirle dicho mensaje. Sacarlo al exterior se traduce algunas veces en que deje de llorar de un modo instantáneo, pero si la distracción no funciona lo que podemos hacer es sentarnos reposadamente junto a él en una habitación tranquila y con una luz poco intensa. En resumen, sea lo que fuere lo que hagamos, procuremos evitar que nos contagie su ansiedad. Debe admitirse que no es tarea fácil, pero cuanto más calmados estemos más pronto se dará cuenta de que no existe motivo alguno de alarma.

Tal como una madre de cuatro hijos dijo: «Con el último ya estoy tan habituada que al final le digo: Ya sé que estás trastornado pero he de irme a la cama.»

Coherencia

Nuestro bebé aprende de nosotros la forma en que el mundo funciona. Por ello si nos sentimos indecisos acerca de lo que resulta mejor para él, el método que sigamos para cuidarle es probable que sea incoherente. Así tenemos que un día es posible que lo tomemos en brazos porque llora mientras que al siguiente nos sentimos preocupados porque creemos que lo estamos malcriando y debido a tal circunstancia dejamos que llore. Este proceder lo sume en una gran confusión y hace que le sea imposible formarse una idea del mundo como un lugar seguro en el que pueda comenzar a relajarse. Llegará al convencimiento de que le es difícil dormir ya que constantemente se preguntará qué es lo que va a ocurrir a continuación y tratará de ver si puede descubrirlo.

Éste es el motivo por el cual seguir un programa regular por lo que a irse a la cama se refiere funciona tan bien. Con él se envían unas señales claras y concretas acerca de cómo funciona el mundo, es decir, el dormir sigue al irse a la cama y esto viene a continuación del baño. Un orden así establecido hace que se sienta seguro y esto es realmente lo que necesita para irse a la cama contento y permanecer dormido durante toda la noche.

Aun en el supuesto de que nuestro bebé sea demasiado joven para seguir una rutina en lo que a irse a la cama respecta, podemos alcanzar el mismo resultado si actuamos con gran coherencia. Los bebés responden bien a un grado de repetición que la mayoría de los adultos encuentran aburrido. Sin embargo, si una noche decide someter a prueba nuestra coherencia, vale la pena recordar que por muchas veces que debamos arroparlo y decirle buenas noches en dicha ocasión, esta labor no es ni de lejos tan pesada como la que nos obliga a llevar a cabo un bebé que tiene la idea de que la noche es el momento adecuado para jugar.

Separación e independencia

Dormir bien es una señal de que nuestro bebé va adquiriendo mayor independencia. Muchos padres experimentan una especie de shock cuando el suyo duerme por primera vez durante toda la noche ya que les resulta difícil creer que este pequeño ser, que ha venido dominando todas las noches durante semanas, pueda de repente valerse por sí mismo.

Algunas veces, aun cuando anhelamos ardientemente que nuestro bebé duerma, dejar que alcance este nivel de independencia nos resulta bastante difícil. Nunca más, a partir de este instante, nos volverá a necesitar del modo simple, obvio y constante con que lo hacía cuando se ponía a llorar en demanda de alimento cada pocas horas.

Aun cuando nos mostremos satisfechos de los avances conseguidos por nuestro bebé, resulta natural que experimentemos sentimientos de tristeza a medida que va dejando distintas etapas de su desarrollo tras de sí. Una parte de nosotros cabe que quiera mantenerlo como bebé el mayor tiempo posible, en especial si esperamos que sea el último o bien el único. Hay algo de impresionantemente adulto y autosuficiente en un bebé que con la sonrisa en los labios nos da las buenas noches y parloteando nos desea los buenos días. Es una situación que como mínimo cabe que sea desconcertante. Si encontramos difícil aceptar el que nuestro bebé no nos necesita durante más de doce horas todas las noches, esta circunstancia será detectada por él en el sentido de que le necesitamos y se despertará.

——— o ———

A los quince meses, Alicia, el bebé de la familia y además única niña, todavía seguía despertándose varias veces por la noche y necesitando hasta una hora para volver a dormirse. Todavía no andaba y cada una de las comidas se convertía en una batalla encaminada a persuadirla de que ingiriese una o dos cucharadas. Durante las vacaciones su padre observó que una amiga de Alicia, cuya edad era igual a la de ella, compartía alegremente la comida familiar sujetando un tenedor.

«Dejemos de dar comida infantil a Alicia» dijo él, «y desistamos de alimentarla con cuchara. Si su amiga puede ingerir comida normal por sí misma, lo mismo puede hacer Alicia».

La transformación resultó espectacular. Alicia se mostró complacida con su nueva comida e incluso comenzó a caminar el mismo día. Al cabo de una semana ya dormía durante toda la noche.

«Creo que ya comenzaba a estar cansada de que la tratásemos como a un bebé» dijo su padre.

Al mostrar que tenía confianza en Alicia para que comiese sin ayuda de nadie, su padre también le proporcionó lo que necesitaba para dar un gran salto hacia la independencia y ello se tradujo en que caminase de inmediato y durmiese durante toda la noche a partir de entonces. Hasta aquel instante todos los mensajes que había venido recibiendo reforzaban la idea de que no podía valerse por sí misma.

Es interesante señalar que todo esto ocurrió durante unas vacaciones en que el padre de Alicia disponía de más tiempo para estar junto a su familia. Alicia se hallaba sumida en un círculo vicioso que daba lugar a que cuanto más enfadada estaba más se acentuaba el que se la tratase como a un bebé y el resultado era que todavía se enfadaba más. La nueva perspectiva de su padre con relación a la cuestión vino a introducir una ruptura que se había hecho altamente necesaria.

——— o ———

Cómo deshacer el embrollo

Con frecuencia ocurre que son los padres más amorosos, preocupados y dedicados los que cuentan con bebés que no se sienten inclinados a dormir durante toda la noche. Es posible que ello se deba a que se exceden en su cometido. Puede resultar de mayor ayuda relajarse y confiar en que el bebé permanecerá dormido sin interrupción hasta la mañana siguiente tan pronto como esté en condiciones de llevarlo a cabo.

Si se agita durante la noche no nos precipitemos en el sentido de dar por sentado que lo hace porque nos necesita. Si se muestra inquieto y da la impresión de que le es difícil sosegarse, aparece como algo natural el que queramos hacer todo cuanto podamos para ayudarle. Sin embargo, nuestros esfuerzos puede que sean exactamente los que mantiene a nuestro bebé despierto, debiendo añadir que cuando estamos cansados y estresados resulta especialmente fácil crear una atmósfera de tensión.

Algunas veces ocurre que los padres se ven abocados a adoptar medidas desesperadas. Es posible que nos sintamos tan aliviados al encontrar algo que funciona que recurrimos a ello todas las noches, pero sólo para descubrir que nuestro bebé rechaza, algunas veces durante años, dormirse por decisión propia. Un niño de sólo dos años y medio era paseado en el coche familiar durante una hora aproximadamente todas las noches hasta que caía dormido y procede añadir que éste no es un hecho infrecuente. Una «solución» de este tipo constituye un verdadero desastre para los padres. Nos estropea la velada y provoca un estrés adicional exactamente en el momento en que más necesitamos relajarnos y disponer de tiempo para nosotros mismos. También resulta espantoso para los bebés. Es de todo punto cierto que ninguno de ellos precisa que lo paseen en coche al llegar la noche. Lo que ocurre es que se trata de la única forma que conoce para conciliar el sueño. Lo que realmente necesita es aprender de qué modo puede irse a la cama en paz y tranquilidad por propia decisión y para que ello tenga lugar es condición básicamente indispensable el que cuente con unos padres que estén menos dispuestos a ofrecerle toda su dedicación.

Nuestro bebé es importante pero no más que cualquier otra persona. No caigamos pues en la trampa de relacionarlo con todo cuanto acontece en el hogar. Es cierto que la vida inevitablemente gira en torno a un nuevo bebé al principio, pero éste pronto se amoldará al entorno si se le presta el estímulo necesario. De hecho, los que han de acomodarse a una familia ya existente a menudo manifiestan un talante más tranquilo y adaptable simplemente debido a que la atención que se les concede no es tan desorbitada.

¿Debemos tomarlo en brazos o dejar que llore?

Otra razón por la cual a los bebés se les colma de atenciones es nuestro rechazo de la idea, que se extendió durante los 50 y los 60, de que tomarlos en brazos cuando lloran supone malcriarlos. Todavía hoy cabe oír: «Estás creando la vara que azotará tu espalda si sigues tomando en brazos a este bebé continuamente. De este modo nunca aprenderá.»

A la mayoría de padres modernos el dejar que un bebé llore les parece un acto cruel y, a decir verdad, no vemos razón alguna por la cual al que necesita comer o sentirse cómodo ha de dejársele que chille. Sin embargo esto tampoco quiere decir que debamos precipitarnos a tomarlo en brazos cada vez que abre la boca ya que si así procedemos imposibilitamos el que pueda encontrar el debido equilibrio en su comportamiento.

La situación se ve complicada por el hecho de que a los padres de hoy en día es posible que se les dejara llorar en su infancia por parte de unos progenitores que seguían al pie de la letra el consejo imperante en su época. Como ya pusimos de manifiesto en el capítulo 2 esta circunstancia puede dar origen a un legado de sentimientos encontrados. Por una parte tenemos que no queremos dejar que un bebé llore como quizá nos ocurrió a nosotros, pero también por otra es posible que se encuentre profundamente asentada en nosotros la sospecha de que el tomarlo en brazos lo malcriará.

Este conflicto transmite unos mensajes confusos a nuestro bebé ya que unas veces se le tomará en brazos y otras se dejará que llore. También puede ocurrir que quien lo tome en brazos sea un pariente que se muestra preocupado y asaltado por la duda acerca de cuál es la forma correcta de proceder. El resultado final es que nuestro bebé se dará cuenta de estas contradicciones y le resultará muy difícil encontrar la tranquilidad que necesita.

Atender las necesidades de nuestro bebé incluye dejarlo en paz cuando es esto lo que verdaderamente precisa. De hecho podemos satisfacerle sin necesidad de ceder a todos sus caprichos y esto en la práctica significa proporcionarle todo el contacto y la intimidad que nos pide, al mismo tiempo que procuramos incitarle a que concilie el sueño por propia voluntad.

Está demostrado que los bebés que son tomados en brazos y mecidos amorosamente con mucha frecuencia durante sus primeros meses acaban durmiendo mejor que los otros. Cabe que ello sea debido a que han visto atendida en forma plena su necesidad inicial de sentirse cómodos y gozar de tranquilidad y que tal circunstancia ha contribuido a que se sintieran seguros en su mundo, lo cual ha traído como consecuencia el que pudieran relajarse y dormir.

Satisfacer la necesidad sentida por nuestro bebé de contar con protección no es lo mismo que malcriarlo. Ser malcriado significa conseguir todo cuanto se desea, tanto si se precisa de ello como si no. Un bebé sólo conoce aquello que realmente necesita, es decir, amor, seguridad, comida y dormir. Parte del proceso de adaptación a una vida común viene representada por el descubrimiento de cómo atender en grado máximo tales necesidades. Y si lo hacemos de modo correcto, en modo alguno malcriamos al bebé. En realidad no nos es posible hacerlo hasta que haya alcanzado la edad suficiente para pedir cosas que no necesita.

Sin embargo, nada obsta a que provoquemos confusión en él. Es posible que no quiera aquello que no precisa pero lo cierto es que con frecuencia nos resulta difícil determinar qué es lo que verdaderamente le hace falta. Algunas veces le damos de comer cuando en realidad no tiene hambre, estímulo cuando lo que requiere es paz o indiferencia cuando lo que pide es contacto humano. También ocurre que en determinados momentos lo tomamos en brazos cuando lo que desea es dormir.

Procedemos de este modo debido a que su conducta puede resultar desorientadora y lo que entonces ocurre es que nuestros propios instintos entran en escena y se interponen en el camino. Para neutralizar esta pauta de confusión deberemos tratar de apartarnos un poco de nuestro bebé. No consideremos que hemos de hacer algo cada vez que llora, lo cual no significa que tengamos que caer en el extremo opuesto ya que actuar de este modo supondría ignorarlo por completo. La norma a seguir es observarlo y escucharle de manera que nos sea posible determinar qué es lo que siente y encontrar la respuesta más apropiada a sus exigencias.

Plan para conseguir que nuestro bebé duerma

- Consideremos nuestros propios sentimientos y experiencias. Tratemos de ocuparnos de ellos separadamente de nuestro bebé.
- Asegurémonos de que nuestro cuerpo se halla distendido y relajado antes de tomar en brazos o dar de comer a nuestro bebé.
- Recordemos que nosotros somos tan importantes como nuestro bebé y que necesitamos apoyo y autoconfianza para cuidar de él. No vacilemos pues en pedir ayuda a este respecto.
- Confiemos en nuestro bebé en el sentido de que sabrá valerse por sí mismo cuando esté tranquilo o dormido. Con ello estimularemos su independencia.
- Esforcémonos para que nuestro bebé no se vea afectado por la ansiedad que en un momento dado pueda invadirnos. Deliberadamente utilicemos un tono de voz sosegado y alegre cada vez que llore y transmitámosle la convicción de que resolveremos el problema juntos.
- Recordemos que el bebé tiene sus problemas y nosotros los nuestros. Procuremos, por consiguiente, no sentirnos angustiados cuando él lo está.
- Si percibimos que se apodera de nosotros la tensión, distraigámonos nosotros y nuestro bebé saliendo al exterior o contemplando algo que resulte interesante para ambos. Si todo esto falla, vayámonos a otra habitación durante un minuto y respiremos profundamente varias veces para tranquilizarnos.
- Esforcémonos para mostrarnos coherentes. Por muy reiterativo que nos parezca no debemos olvidar que tal actitud transmite confianza a nuestro bebé.
- Mostrémonos tan categóricos como podamos. Procuremos reforzar nuestra propia confianza y también asegurar a nuestro bebé que confiamos plenamente en él.

4 • NOCHES INICIALES

Las primeras semanas

«Mi primer bebé nunca parecía dormir, pero la culpa era mía. No creía que pudiera hacerlo durante toda la noche. Con éste lo que hago es dejarlo en paz y duerme.»

Madre de Isabella, de tres meses, y de Carlos, de nueve años.

Los bebés de la raza humana son al nacer los más inmaduros de entre los de todas las especies. Su cerebro, en dicho instante, sólo tiene la cuarta parte del volumen que alcanzará cuando sea un adulto. Si su cabeza creciera algo más mientras se encuentra en el útero, le resultaría imposible pasar a través de la pelvis de la madre. Tenemos por consiguiente que los bebés llegan a este mundo sin estar preparados para participar en él. Desvalidos, vulnerables y totalmente dependientes necesitan una protección y unos cuidados completos mientras tiene lugar su transición a la fase subsiguiente de ser plenamente desarrollado.

La falta de madurez de nuestro bebé en el momento de nacer constituye factor esencial para comprender cómo se desenvuelven las pautas que determinan el dormir. Durante los primeros meses se producen unos cambios muy importantes en sus funciones cerebrales y esto lo reconocemos cuando decimos de un recién nacido que sólo es un «fragmento de humanidad» y al cabo de tres meses ya se ha convertido en un «verdadero bebé». Estas diferentes etapas de desarrollo cuentan, cada una de ellas, con unas necesidades bien distintas. En realidad, en dicho instante estamos tratando con un bebé diferente.

Cuando sólo tiene pocos días o escasas semanas de edad no podemos esperar de él que ponga de manifiesto una pauta predecible por lo que al dormir respecta. No es ciertamente el momento para que esté sujeto a una rutina ya asentada por lo que se refiere a irse a la cama o ponerse un pijama. Sin embargo esto no significa que no haya nada que podamos hacer durante esta etapa. Nada más lejos de la verdad. Podemos ayudarle a que adquiera unos buenos hábitos con relación al dormir desde el mismo día en que ha llegado al mundo y gracias a ello mostrará los primeros indicios de estar en condiciones de hacerlo durante toda la noche ya a partir del primer mes. Este capítulo cubre tres áreas básicas en las que durante los primeros días y semanas de vida nuestra contribución puede ser enorme para que nuestro bebé adquiera el hábito de permanecer dormido toda la noche. Dichas áreas son las que a continuación se indican :

- El lloro en demanda de comida;
- el aprender a irse a la cama;

• el espacio nocturno básico.

Al igual que constituiría un error pensar que no hay nada que podamos hacer en esta etapa, también precisa recordar que lo sería el excederse. Seguir ofreciendo comida por la noche a un bebé que ya no la necesita, por ejemplo, hará imposible el que pueda consolidar el dormir a lo largo de ella sin interrupción. Mecerlo o darle de comer hasta que se quede dormido le impedirá adquirir el hábito de conciliar el sueño por propia voluntad.

Nuestro bebé se halla biológicamente programado para adaptarse a dormir toda la noche y nuestro objetivo ha de ser el de estimular este proceso, lo cual y en gran medida significa no interferirlo pero también permitirle que encuentre el camino por sus propios medios aun cuando no sea el esperado por nosotros.

Cómo atender las necesidades de nuestro bebé

Los bebés parecen tener unas ideas muy definidas con relación a sus necesidades. Algunos son de talante pacífico desde el primer momento y se muestran capaces de valerse del dormir para escapar del estímulo constante que deriva de su entorno. Otros, en cambio, son hipersensibles y se muestran inquietos al principio, lo cual hace que requieran mucha ayuda para tranquilizarse. Si el nuestro es uno de ellos, cabe que nos consuele saber que se halla demostrado que los que son tenidos en brazos y llevados de un lado a otro durante los primeros días acostumbran a convertirse en unos bebés que duermen mejor que los demás.

Sean cuales fueren las necesidades de nuestro bebé podemos estar seguros de que nos será posible atenderlas al paso que mientras tanto le transmitimos el claro mensaje de que la noche es para dormir.

Por otra parte tenemos que resistirse a las demandas del bebé para que le prestemos atención puede algunas veces traer como consecuencia hacerlo más exigente durante un periodo prolongado. Viene a ser algo así como si una frustración temprana crease un estado de necesidad e insatisfacción persistentes.

——— o ———

Tom, de tres semanas y media, se agitaba tristemente inquieto en su silla reclinable.

«Necesita dormir», dijo su tía, madre de otros tres.

«No», respondió su madre, «ya no duerme durante el día».

Su tía ignoró este comentario y puso a Tom sobre sus rodillas, dándole suaves palmaditas en la espalda. Pronto se tranquilizó y se quedó dormido.

«Bien», dijo su madre, «por supuesto se dormirá si uno se sienta con él sobre las rodillas durante todo el día, pero yo no tengo tiempo para eso».

Actualmente, cuando ya casi tiene dos años, Tom todavía se despierta varias veces por la noche, pidiendo ver a su madre antes de conciliar de nuevo el sueño.

——— o ———

Las necesidades de un nuevo bebé es posible que parezcan extremadas, pero ¿quiénes somos nosotros para decidir las que pueden ser? No podemos recordar la sensación que produce el ajuste a la vida al abandonar el útero materno y en este terreno nuestro bebé debe hacer frente a una tremenda labor. Por ello, aun cuando sólo cuente con pocos días de vida, hay algo que nosotros podemos hacer que supondrá una enorme diferencia con relación a la rapidez con que adquiera unos buenos hábitos por lo que a dormir respecta.

El llanto provocado por el hambre

Este llanto es la primera cosa que es necesario que aprendamos con relación a nuestro bebé. Debido a que el dormir es inseparable de la comida al principio, el lloro que equivale a una señal de que nuestro bebé tiene hambre es muy importante, ya que nos ha de permitir decir cuándo experimenta la necesidad de comer y cuándo no es así. Es de este modo que nos ha de ser posible determinar cuándo precisa algo que no sea comida y constituye asimismo el primer paso hacia la búsqueda de otros medios para conseguir que repose por la noche y evitar fomentar el hábito de comer durante la misma, ya que de tal circunstancia se derivaría el que no pudiera dormir de un modo continuado.

Puede que parezca más sencillo ofrecerle el pecho o un biberón y dejar que sea él el que lo rechace si no tiene hambre. Sin embargo conviene destacar a este respecto que a los bebés les gusta chupar y que debido a ello ingieren comida cuando les es ofrecida aun cuando en aquel instante no sientan necesidad alguna de tomarla. Si éste es el caso, el resultado puede ser una indigestión así como cierta confusión entre la comida y el dormir, ya que les resulta imposible establecer unos ritmos corporales regulares y se les hace difícil iniciar el proceso que les ha de llevar a aprender de que modo podrán reconocer aquello que verdaderamente necesitan.

Ésta es una trampa en la que yo caí y de la cual Lucy tuvo que sacarme. Mi bebé se volvió irritable y yo trataba de calmarlo dándole de comer. El resultado era que nunca tenía hambre suficiente para tomar una comida realmente completa y su barriga tampoco se llenaba lo bastante como para iniciar un largo y plácido sueño. Lo que realmente hacía era adormecerse con el pezón entre sus labios y ponerse a protestar al menor intento de depositarlo en la cuna para dormir.

«Déle un biberón», me aconsejó un doctor. «La leche sale con mayor rapidez y debido a tal circunstancia su barriga se llenará sin que precise esforzarse tanto para conseguirlo». Pero yo no quería dejar de darle el pecho y Lucy me convenció de que no era necesario el que lo hiciese. Y me enseñó cómo asegurarme de que mi bebé tenía realmente hambre antes de comenzar a darle de comer y cómo probar otros métodos para consolarle si no era comida lo que realmente pedía.

«Presta atención a una nota particular en su lloro» dijo Lucy. «Suena de modo más agudo y perentorio. No es un gemido, una queja o una protesta, sino algo parecido a: ¡Dadme de comer AHORA!»

A partir del instante en que creamos que nuestro bebé tiene hambre nos será posible confirmarlo valiéndonos de lo que cabría denominar «reflejo de búsqueda». Si damos una suave palmada a su mejilla, girará y alargará la cabeza hacia el lado en que se ha producido el contacto y lo hará con tal fuerza que parecerá como si su vida dependiera de ello.

Si nuestro bebé da la impresión de que no es hambre lo que tiene, sino más bien que no se siente feliz, algunas veces surge la tentación de ofrecerle comida para darle consuelo. El gran inconveniente en tales casos es que comenzará a utilizarnos como instrumento para tal fin. Y si esta práctica la iniciamos por la noche con ello puede fomentarse la aparición de un hábito que adquirirá carácter permanente de despertarse periódicamente para recibir comida. Lucy diría, en tales casos, que «es preciso recordar que mamá no es un chupete».

A partir del día en que traemos el bebé a casa desde la clínica estaremos ayudándole a conseguir que duerma durante toda la noche si nos concentramos en las señales que nos envía y nos esforzamos en esclarecer su significado. Ésta es una labor que no siempre resulta fácil. La indigestión, por ejemplo, puede que a nuestro bebé le parezca igual que el dolor aparejado con el deseo de comer y por ello su lloro cabe que suene igual. Pero cuando dejamos de prestarle atención con ello interrumpimos el supuesto de carácter automático según el cual un bebé que llora necesita comer.

Cómo apaciguar un bebé intranquilo: lo que debemos hacer en lugar de darle de comer

Tras decidir que no es el hambre el motivo que provoca intranquilidad en nuestro bebé tenemos que uno o más de los métodos que a continuación se indican y que ya han sido ensayados en múltiples ocasiones nos serán de ayuda en conseguir el apaciguamiento de su estado de intranquilidad:

- Salgamos al exterior. Esta medida puede ejercer un efecto casi mágico. Cabe que sea resultado del cambio repentino de aire, pero los lloros con frecuencia cesan como si se hubiese producido una desconexión.
- Caminemos con él en brazos y comprobemos cómo le gusta que se le sostenga mientras nos desplazamos. A algunos bebés les gusta recostar su cuerpo sobre

nuestro hombro en posición colgante. En tal caso la presión que con ello se ejerce sobre su barriga puede contribuir a mitigar los efectos de una indigestión.

- Envolvamos a nuestro bebé firmemente con un chal o una manta de franela de las utilizadas en la cuna. A tal fin coloquémoslo sobre la pieza elegida, doblemos después uno de los lados sobre su pecho y a continuación el otro incluyendo los brazos. Tras ello arropémosle asimismo los pies llevando la parte inferior del chal o de la manta hacia arriba de modo que el bebé quede embutido a semejanza de un paquete pulcramente realizado. Quizá esto le recuerde el modo en que se hallaba instalado dentro del útero materno. Sea como fuere las envueltas deben ser firmes ya que las holgadas son susceptibles de provocarle irritación.
- Situémosle boca abajo sobre nuestras rodillas y démosle algunas palmaditas en la espalda.
- Coloquémosle en posición erguida sobre nuestras rodillas y hablémosle de modo que su rostro se encuentre a una distancia de unos 30 cm del nuestro. Esta distancia es la perfecta para que pueda practicar el enfoque visual.
- Mostrémosle cosas interesantes. A este respecto tenemos que la lavadora goza de popularidad. Lo mismo cabe decir de las hojas movidas por el viento, los móviles y los niños que juegan.
- Cantémosle algunas canciones o hagámosle oír alguna música.
- Bailemos con él si da muestras de estar aburrido. Sin embargo, si se trata de un bebé irritable cabe que esta medida empeore la situación.
- Despojémosle de alguna pieza de abrigo. Conviene recordar que los bebés se sienten muy incómodos cuando sufren calor, en especial cuando el origen se encuentra en uno de los monos acolchados tan en boga actualmente mientras permanece en el interior de un comercio con un nivel de calefacción elevado. Debe tenerse en cuenta con relación a este punto que todavía no han desarrollado la capacidad necesaria para regular su propia temperatura como hacemos nosotros.
- Sentémonos en una mecedora junto con él. El movimiento de vaivén puede ejercer un efecto balsámico en ambos.
- Consideremos la posibilidad de utilizar un chupete. A este respecto debemos señalar que algunos bebés muestran una obsesión mayor que otros por lo que se refiere a chupar y por consiguiente que el valerse de un chupete puede ayudarnos en esta cuestión. Si no nos gusta hacer uso de ellos recordemos que podremos prescindir de su apoyo tan pronto como el fuerte impulso que lleva a chupar haya remitido. No hay necesidad alguna de que se convierta en un hábito duradero.
- Determinemos cuál es su mejor posición para dormir y adaptémosle a ella. Los bebés a los que gusta que se les sostenga ejerciendo cierta presión sobre su barriga se muestran a menudo más felices durmiendo de modo que esta circunstancia se mantenga. El consejo general es que no debemos colocar a nuestro bebé boca abajo para dormir pero podemos enfajarlo de manera que su barriga resulte firmemente presionada. Después deberemos colocarlo de suerte que se apoye late-

ralmente. También cabe utilizar para este fin uno de los soportes de que actualmente se dispone y que permiten que el bebé se mantenga recostado sobre un lateral gracias a encontrarse entre dos cojines.

Aprender a irse a dormir

«Mi primer bebé nunca parecía dormir», dice Chris, cuyo segundo, en cambio, a la edad de tres meses duerme de modo excelente. «Sin embargo, la culpa era mía pues nunca creí que pudiera conseguir permanecer dormido durante toda la noche por sí solo. Constantemente lo controlaba y procedía a despertarle. Posiblemente captó mi convencimiento de que dormir no era seguro y yo por mi parte siempre me veía dominada por el pensamiento de que podía morir. Con el bebé actual considero que si en un momento dado me necesita me lo dará a conocer. En resumen, lo dejo dormir en paz y esto es lo que hace».

Aprender a confiar en nuestro bebé para que duerma, seguro y en perfectas condiciones, forma parte del proceso de transmisión del control sobre su dormir a él. Con relación a este punto procede señalar que incluso en el curso de las primeras semanas nos es posible indicarle que el dormir es algo que puede hacer por sí mismo y esto, junto con el lloro a través del cual se manifiesta tener hambre y el espacio nocturno básico, constituye la clave para inculcar unos firmes hábitos desde el primer momento por lo que al dormir se refiere.

Con todo procede admitir que puede resultar difícil confiar en nuestro bebé para que se duerma. Nuestro conocimiento cada vez mayor de un aspecto tal como la muerte en la cuna en particular, puede dar lugar a una preocupación adicional y el resultado de tal circunstancia es que en lugar de sentirnos gratamente relajados cuando está dormido es dable que nos veamos sumidos en un estado de preocupación por él.

Preocupación por el bebé mientras duerme

En los capítulos 2 y 3 se consideraron las preocupaciones de los padres y la forma de hacer frente a ellas separadamente de nuestro bebé. A ello podemos añadir que también constituye una buena idea hacer que duerma en nuestra habitación al objeto de poder contar con la seguridad de que se encuentra bien y de que gradualmente se va acostumbrando a la idea de que puede valerse por sí mismo. Una cuna portátil o un capazo supone que un bebé dormido puede tenerse muy cerca y ser llevado a nuestra habitación cuando nos vayamos a la cama.

Se cuenta con evidencia de acuerdo con la cual el hacer que el bebé duerma en nuestra misma habitación constituye una precaución contra el riesgo de la denominada «muerte súbita». En las sociedades en que es habitual que la familia duerma junta, este riesgo es desconocido. Desde luego la costumbre de poner un bebé a dormir solo en una habitación separada y con la puerta cerrada es algo totalmente desconocido en muchos países, en los que algunos padres lo considerarían una práctica bárbara. Al parecer existen indicios de un retorno a esta práctica, la cual parece ser más el resultado de planteamientos propios de sociedades prósperas como la occidental que de las necesidades de los bebés y que por ello cabe calificar de totalmente equivocada. Compartir la misma habitación encierra unas ventajas reales para el bebé. Su sistema respiratorio todavía inmaduro puede verse estimulado por la respiración de otras personas próximas a él, y sus leves movimientos y también el que alguna vez se despierten durante breves instantes es posible que contribuya a que le sea posible establecer sus propios ciclos por lo que a dormir concierne. En este contexto se ha sugerido que los sensores electrónicos que sirven para captar los sonidos emitidos por los bebés deberían funcionar, desde un punto de vista ideal, en sentido opuesto, es decir, en lugar de ser un medio de transmisión desde éstos a los padres, convendría que adoptase la forma de un monitor que llevase los sonidos producidos por la respiración y los múltiples movimientos de estos últimos a los bebés. Sin embargo no hay necesidad de monitor alguno si el bebé comparte nuestra habitación cuando todavía es de muy poca edad.

La transmisión del control

Dejar a nuestro bebé que aprenda que el dormir es algo que puede hacer por sí mismo significa permitir que se vaya a la cama por voluntad propia. Debe ser alimentado, mudado de ropa, cambiado de pañales si es necesario y después depositado en su cuna o capazo totalmente despierto y relajado. Podemos sentarnos junto a él durante breves minutos, cantándole una nana o dándole suaves palmadas. Después dejaremos que concilie el sueño por sí solo.

Dicho así parece muy sencillo pero conviene subrayar que algunos bebés oponen gran resistencia a que se les meta en la cama. Por consiguiente contamos con iguales probabilidades de que el nuestro sea muy movido, irritable y contrario a toda conducta ordenada como de que muestre un carácter tranquilo, plácido y propenso a dormir. Hacer que el problema parezca fácil no ayuda en nada cuando en realidad no lo es en absoluto. Por tanto cuando decimos: «Pongámoslo en la cama y dejemos que se duerma» con ello no hacemos más que mentar un objetivo que precisa alcanzar y en modo alguno una receta infalible que sólo basta aplicar.

Aprender a irse a dormir por sí mismo constituye un paso crucial para nuestro bebé. Le indica, desde sus primeros días de existencia, que el dormir es algo que puede llevar a cabo valiéndose de sus propios medios. Descubre que no necesita la ayuda de sus padres para dormirse y esto constituye un gran estímulo para su independencia. Y además significa que cuando se despierta a medias, todo cuanto se encuentra a su alrededor sigue siendo igual que cuando se fue a la cama. Para volver a conciliar el sueño después de asegurarse de que nada ha cambiado, simplemente tiene que repetir el proceso seguido en el momento en que comenzó a dormir.

En cambio si en su mente toma cuerpo la idea de que nos necesita para ayudarle a conciliar el sueño, precisará de nuestra asistencia para volver a dormirse cada vez que se despierte. Por consiguiente, desde un buen comienzo la regla de oro a seguir es: dejemos que nuestro bebé se duerma en su cama por propia voluntad y una vez dormido perturbemos su descanso lo menos posible. Cuando se despierte y ponga de manifiesto que precisa atención, limitemos ésta al mínimo indispensable. Nuestro deseo es atender sus necesidades genuinas pero no recompensarlo por haberse despertado. Si es esto último lo que optamos por hacer, entonces conviene tener presente que lo estamos programando para que al despertarse reciba la recompensa de nuestra compañía.

El espacio nocturno es diferente

Al principio nuestro bebé no es capaz de distinguir entre el día y la noche, pero esto no significa que nosotros no debamos hacerlo. La diversión y los mimos que vienen a complementar la comida deben ser reservados para las horas diurnas. Por la noche, en cambio, deberemos dar de comer y cambiar pañales y prendas de vestir sin bulla ni alboroto y poner el bebé en la cama tan pronto como ya se sienta cómodo. Mantengamos la intensidad de la luz a un nivel bajo y hablemos poco y de forma suave.

Si se duerme mientras come o lo estamos meciendo es posible que nos sintamos tentados a esperar hasta que lo esté profundamente antes de depositarlo en su cuna. Sin embargo, actuar de este modo resulta contraproducente pues la ventaja a corto plazo (ausencia de protestas al ser metido en la cuna) no compensa los efectos de larga duración (el bebé llorará cuando se despierte a medias y se encuentre en un entorno con el cual no se halla familiarizado y debido a ello precisamente muy pronto sólo se dormirá mientras come o es mecido).

Por tanto no impongamos silencio a los demás miembros de la familia, no nos acerquemos de puntillas a la cuna y no pongamos el bebé en ella como si se tratase de una pieza de cristal para después alejarnos sigilosamente. Cojámoslo, cambiémosle los pañales si es necesario, mostrémosle donde va a dormir y dejemos que se dé perfecta cuenta de que lo estamos metiendo en la cama. Si protesta, concedámosle unos cuantos minutos para que se apacigüe y es muy probable que acabe durmiéndose.

Si no lo hace, entonces probemos a darle suaves palmadas, cantarle alguna canción y dirigirle palabras tranquilizadoras. Si pese a todo parece excitarse en lugar de calmarse entonces cabe que nos sintamos inclinados a cogerlo en brazos. Recordemos sin embargo que es muy importante no dar la impresión de que el día comienza de nuevo, ya que si así fuese quedarían cancelados todos nuestros mensajes de que ha llegado el momento de dormir.

Nuestro bebé es posible que necesite múltiples intentos al principio para conseguir su habituación pero pronto captará qué es lo que se pretende de él. Gracias a este enfoque el avance es tan rápido que comenzará a dormir durante prolongados periodos al cabo de pocas semanas. Es altamente conveniente aprovechar esta primera etapa en que tanto nosotros como el bebé estamos aprendiendo a recorrer juntos el camino para estimular la adopción de una pauta sólidamente asentada por lo que al dormir concierne. Una vez conseguido este propósito podremos disponer de nuestras veladas como de algo propio y gozaremos de un sueño ininterrumpido. Además, cuanto más pronto comencemos en este empeño, más ventaja podremos sacar de la tendencia biológica de nuestro bebé a adaptarse a dormir durante toda la noche.

Una pareja que tenía un hijo de seis semanas de edad nunca lo habían sacado de su habitación después de las 6h 30 de la tarde, independientemente del número de horas que hubieran tenido que dedicarle para tranquilizarle. Parecía una solución un tanto extrema pero había funcionado hasta entonces. Gracias al esfuerzo desplegado había acabado por aceptar dicha hora como la apropiada para irse a la cama y dormir durante toda la noche. Sin embargo, no todos los padres cuentan con tanta determinación. A ello podemos añadir que, aparte cualquier otra consideración, parece un modo un tanto sombrío de pasar las veladas. Mi enfoque, en cambio, tuvo más bien carácter de compromiso. Cuando mi bebé tenía unas pocas semanas y no mostraba predisposición alguna a dormirse al llegar la noche, lo instalaba en su sillita especial para viajar en coche y se complacía observándonos mientras cenábamos. Aceptábamos que estuviese presente en estas condiciones, pero prestándole una atención mínima y lo llevábamos a la cama transcurrida media hora aproximadamente. Y debo decir que este sistema funcionó.

Algunos padres consideran los primeros meses de un bebé como el momento perfecto para salir con él de noche ya que lo dejan confinado en su capazo o sillita, no necesita otra cosa que alguna comida y un cambio de pañales y además puede dormir en cualquier lugar. Ocasionalmente y por supuesto nada hay que objetar. Ahora bien, si lo que pretendemos es aprovechar las primeras semanas para incitar a nuestro bebé a que duerma durante toda la noche, las excursiones nocturnas al aire libre seguidas por varios cambios de entorno, ruidos diversos y rostros desconocidos no contribuyen en modo alguno a crear una atmósfera sosegada que propicie irse a la cama y dormir pacíficamente.

El espacio nocturno básico

En sus primeros días, separado del suministro constante de comida en el útero materno, nuestro bebé no puede permanecer más de un par de horas sin verse asaltado por unos acuciantes dolores provocados por el hambre. En tales casos su sistema digestivo todavía inmaduro es posible que se rebele contra una ingestión repentina y ello le produzca malestar.

Muy pronto sin embargo –mucho más de lo que quizás esperábamos– nuestro bebé vendrá a demostrarnos que puede permanecer sin comer durante más tiempo del indicado, en especial por la noche, y esto lo conseguirá durmiendo sin interrupción a lo largo del denominado «espacio nocturno básico». Tal circunstancia supone que permanecerá dormido durante un periodo mucho más prolongado que cualquier otro de época anterior. Procede añadir que esto ocurrirá por regla general cuando llegue a la edad de un mes aproximadamente.

El espacio nocturno básico ocupa una posición central en este enfoque del dormir de los bebés. El capítulo que sigue a continuación cubre este aspecto y detalla cómo darle respuesta de un modo adecuado. Aquí sólo lo mencionamos porque, junto con el aprender cómo distinguir el lloro provocado por el hambre y el ayudarle a que se valga por sí mismo para conciliar el sueño, supone uno de los aspectos fundamentales que debemos considerar para consolidar su pauta por lo que a dormir respecta durante las primeras semanas de vida.

Dormir a lo largo de todo el espacio nocturno básico supone un momento decisivo para nuestro bebé. Si no nos apercibimos de la señal indicativa de tal circunstancia y seguimos saltando de la cama para darle de comer cada vez que se despierta, entonces lo que hacemos, aun cuando sea inadvertidamente, es transmitirle un claro mensaje de que lo que nosotros hacemos por la noche es despertarnos para así poder comer y gozar de compañía. Evidentemente esto es exactamente lo contrario de lo que queremos comunicar. Y no es sólo esto lo que ocurrirá sino que bajo nuestra influencia sus primeros pasos por la senda que conduce a dormir toda la noche experimentarán una inversión en lugar de resultar reforzados. Si no nos percatamos de sus indicaciones según las cuales está aprendiendo a valerse cada vez un poco más por sí mismo, entonces estamos minando su confianza en su creciente independencia. Es algo así como si le dijéramos que dormir es labor demasiado difícil para que pueda llevarla a cabo por sus propios medios.

Cómo poner los cimientos

Conseguir una buena noche de sueño reparador es posible que parezca un objetivo algo distante durante los primeros días pero cuanto antes lo consigamos tanto mejor para nosotros. Y también cuanto más pronto nuestro bebé adquiera el hábito de dormir toda la noche, más firmemente afianzado quedará dicho hábito. De este modo gozará de profundos sueños cuando todavía estarán en fase de formación sus primeras impresiones del mundo que le rodea y de su funcionamiento. Debido pues a que permanecer dormido resultará ser una situación normal para él, serán asimismo menores las probabilidades de que se despierte y se le ocurra pedir atención.

Si nuestro bebé siempre ha dormido durante toda la noche, ello supone que se halla programado para que así sea. Más adelante, cuando descubra su fuerza de voluntad, o cuando la dentición o algún otro trastorno provoque el que se mantenga despierto, su hábito de irse a la cama y permanecer sumido en profundo sueño ya estará tan sólidamente asentado que neutralizará cualquier alteración de carácter temporal. Le será posible desviarse de la firme pauta a la que ha venido ajustándose e instintivamente volver a ella como si se tratase de una paloma mensajera cuando la causa que ha propiciado la convulsión haya desaparecido.

En cambio, si nuestro bebé nunca ha desarrollado un hábito sostenido de dormir a lo largo de toda la noche no contará con una base a la que pueda regresar. Literalmente no sabe dónde se encuentra cuando llega el momento de dormir. Tratará de hacerlo por la noche y algunas veces lo conseguirá durante una o dos semanas, despertando en sus padres la ilusión de que sus problemas han terminado. Sin embargo, si no existe un hábito establecido, cualquier alteración, como por ejemplo una enfermedad, un viaje o un cambio de casa, es probable que dé al traste con lo que ya parecía afianzado. Antes de que lleguemos a darnos cuenta de ello tendremos un bebé de un año de edad que jamás habrá aprendido a dormir toda la noche. Y en dicho instante es mucho más difícil enseñárselo que cuando era un ser pequeño e impresionable de pocos días.

Plan para dormir para nuestro bebé

- Aprendamos a identificar en nuestro bebé el llanto provocado por el hambre. Procedamos a confirmarlo mediante el reflejo subconsciente.
- No ofrezcamos comida a menos que esté presente el llanto en demanda de ella. Probemos otros medios de ayuda para que nuestro bebé se relaje.
- Tratemos de atender las necesidades del bebé durante el día, al objeto de que sean menores las probabilidades de que nos necesite por la noche.
- Mantengámonos vigilantes al objeto de poder saber cuándo duerme por primera vez y sin interrupción durante un «espacio nocturno básico», el cual constituye un periodo mucho más prolongado que cualquiera de los precedentes. Con él se iniciará su capacidad para dormir a lo largo de toda la noche.
- Pongamos a nuestro bebé en la cama despierto y plenamente consciente de su entorno. No deberemos mecerlo o darle de comer para que concilie el sueño. Si se queda dormido mientras hacemos esto, levantémosle con suavidad y dejemos que vea el lugar en que va a dormir.
- Démosle de comer o tranquilicémosle si se despierta por la noche pero llevémoslo a cabo con la menor perturbación posible. Reservemos los mimos y los juegos para las horas diurnas.
- No hagamos nada que nuestro bebé pueda interpretar como siendo una recompensa por haberse despertado en mitad de la noche.

5 • EL ESPACIO NOCTURNO BÁSICO

Un momento decisivo

«Dormía desde las 10 de la noche a las 4 de la mañana cuando tenía seis semanas de edad. Mirando hacia atrás puedo darme cuenta del gran avance que tal circunstancia suponía. En aquel momento, sin embargo, no supe cómo aprovecharla. Simplemente seguía obrando como siempre. Y él no volvió a repetirlo de nuevo.»

Madre de Robbie, de diecisiete meses de edad, que nunca ha dormido durante toda la noche.

El *espacio nocturno básico* constituye el arma secreta en este enfoque. Si somos capaces de reconocer su existencia y nos apoyamos en él, nuestro bebé se encontrará en el buen camino que ha de llevarlo a dormir toda la noche y de este modo se evitará que en ningún momento surja problema alguno relacionado con esta cuestión. Destaquemos ante todo que viene a representar la señal por parte de nuestro bebé de que se halla preparado para permanecer dormido durante un tiempo prolongado en horas nocturnas, en que su sistema ha madurado lo suficiente como para permitirle prescindir de la comida por más de tres o cuatro horas. Señalemos por último que se le da el nombre de espacio nocturno básico debido a que viene a representar el centro del programa que con relación al dormir lleva incorporado nuestro bebé.

Para nosotros, el espacio nocturno básico viene a ser el punto de apoyo sobre el cual nos será posible estructurar el dormir de nuestro bebé durante la noche. Es un momento, y esto conviene destacarlo, que resulta conveniente aprovechar en grado máximo. No debemos olvidar que nuestro bebé nos ofrece con ello la oportunidad de consolidar los periodos en que duerme transformándolos en ciclos nocturnos prolongados que se convertirán rápidamente en un hábito que se repetirá de modo continuado un día tras otro.

La razón por la cual el espacio nocturno básico haya alcanzado tanto éxito como método encaminado a estimular a un bebé para que duerma a lo largo de toda la noche es que la señal *proviene de él,* es decir, no se trata de algo que nosotros le imponemos, supuestamente por su propio bien y que en realidad sólo podría provocarle desconcierto y resentimiento, sino que es consecuencia de una idea que surge en su mente y todo lo que nosotros hacemos es simplemente captar el mensaje.

Si no nos apercibimos de la oportunidad única que representa el espacio nocturno básico no todo está perdido, ya que los demás principios que vienen expuestos en este libro seguirán siendo válidos y nuestro bebé todavía podrá, con su ayuda, aprender a dormir toda la noche. Sin embargo el aplicar las ventajas que concurren en el espacio nocturno básico desde un buen principio hace que dicho problema resulte sorprendentemente fácil de resolver.

No enseñemos a nuestro bebé a llorar

Algunos de los programas que persiguen curar los problemas relacionados con el dormir implican un elevado nivel de lloros, algunas veces durante horas. Y hemos de convenir que esta circunstancia resulta difícil de aceptar por los padres cariñosos y siempre preocupados por su bebé, sobre todo cuando existe el convencimiento de que se está haciendo lo mejor para él. También resulta muy duro para un bebé que no tiene la menor idea de qué es lo que se espera de él (a diferencia de lo que ocurre con un niño de más edad) y por ello no puede llegar a comprender por qué la presencia tranquilizadora de sus padres le está siendo negada justamente en el momento en que se esfuerza en decirles que los necesita en grado máximo.

El otro problema que podemos apreciar en estos métodos es que puede que enseñen a un bebé a llorar. Si quiere que estemos presentes y el llorar repetidamente da lugar a que esto se produzca (aun cuando sólo sea durante un minuto cada vez), entonces lo que capta es el mensaje de que llorando conseguirá lo que quiere. Si por el contrario sus lloros no traen como resultado el que nosotros acudamos a su lado, es posible que siga llorando con la esperanza de que al final conseguirá su propósito, pero si la situación se prolonga durante mucho tiempo llega un momento en que ya no sabe cuál es el motivo por el que llora. Procede destacar que el llorar puede convertirse en un hábito como cualquier otra cosa. Si un bebé puede desarrollar el hábito de dormir por la noche, parece razonable admitir que también le es posible hacer lo mismo respecto al llorar.

Algunos padres pueden tolerar los lloros mejor que otros. Tal circunstancia depende de lo que creamos que nuestro bebé siente cuando llora, básicamente de si estamos convencidos de que está o no perfectamente pese a ello. Algunos padres se sienten angustiados cuando su bebé llora, en especial cuando todavía cuenta con pocos días de vida. A este respecto señalaremos que existen buenas razones para que así sea. De hecho es altamente importante para la supervivencia de un bebé que sus lloros resulten insoportables para su madre, ya que gracias a ello se ve impulsada a prestarle atención proporcionándole comida y cuidados.

Yo recuerdo un intento fallido de poder cenar en una ocasión en que mi bebé de dos semanas de edad no dejaba de llorar en su capazo. Mientras caían lágrimas sobre mis espaguetis, mi familia trataba de tranquilizarme con palabras juiciosas y racionales e insistía en que el bebé estaba bien, que yo debía comer, etc., pero esto no cambiaba la situación. Dejé por tanto el tenedor junto al plato y tomé a mi bebé en brazos. Yo me sentí entonces feliz y él también. Las comidas siguientes tuve que hacerlas valiéndome de una sola mano mientras con el brazo izquierdo doblado sostenía al bebé.

Aun cuando no dar respuesta a los lloros provenientes de la cuna eventualmente puede que se traduzca en que el bebé se duerma, lo cierto es que se trata de una triste experiencia para nosotros y muy posiblemente también para él. Resulta demasiado fácil imaginar que se queda dormido por puro agotamiento. Llamémosle instinto maternal, mecanismo primitivo de supervivencia, ansiedad vinculada a la paternidad, o lo que queramos, pero la idea de «dejarle llorar» resulta intolerable para muchos padres. Y si ésta es la alternativa, no debe sorprendernos el que tantos bebés de corta edad sean tomados en brazos, mecidos y alimentados para conseguir que duerman, independientemente de lo que puedan decir los libros que tratan de estas cuestiones. No sirve prácticamente de nada decir a los padres que hagan cosas que van en contra de lo que les dicta su instinto. Los padres cariñosos quieren de un modo natural hacer todo cuanto puedan para que su bebé esté contento.

Lo irónico, sin embargo, de esta actitud es que puede verse recompensada con la aparición de un problema por lo que se refiere al dormir. Los métodos utilizados en su momento para tranquilizar un bebé recién nacido a menudo acaban dando origen a unos hábitos cuando alcanza más edad y ello debido a que ha aprendido exactamente lo que puede esperar de sus padres. De todos modos conviene destacar que en modo alguno la cuestión ha de quedar limitada a una elección entre dejar que el bebé llore y el que no le concedamos ni un momento de paz.

La magia del espacio nocturno básico

La magia del espacio nocturno básico no consiste simplemente en que funciona y más pronto de lo que muchos padres creen que tienen derecho a esperar sino en que asimismo evita unos lloros innecesarios. Las necesidades de nuestro bebé son atendidas cuando surgen. Cuando necesita dormir, este mensaje es recibido e intensificado. En lugar de alentarle para que llore reclamando la presencia de sus padres, este método le presta la confianza necesaria para valerse cada vez más por sí mismo.

¿Cómo funciona? Como ya se explicó en el capítulo 4 es necesario que estemos atentos para percibir de inmediato la aparición del espacio nocturno básico a lo largo de las primeras semanas de vida de nuestro bebé y habitualmente esto ocurrirá cuando tenga un mes aproximadamente.

Lo que ocurre es lo siguiente. Es posible que estemos acostumbrados a que nuestro bebé duerma durante periodos cuya duración no es superior a las dos horas por la noche o, si tenemos suerte, cuatro o cinco. Es improbable al principio que concurra alguna clase de pauta, es decir, puede que duerma dos horas, después cuatro, o que se despierte cada hora y media a lo largo de dos noches seguidas y que después finalmente permanezca dormido durante todo el periodo nocturno. No intentemos encontrar tendencia alguna en un bebé recién nacido. Cuando percibamos que esta fase inicial y extremadamente intensa de ajuste empieza a decaer (el ritmo de comidas ya estará bien establecido y tanto él como nosotros probablemente ya nos sentiremos más tranquilos y menos desorientados) deberemos comenzar a esperar que de un momento a otro haga su aparición el primer espacio nocturno básico. Nuestro bebé, que en aquel instante tendrá un mes aproximadamente, de repente se pondrá a dormir por la noche durante un periodo mucho más prolongado que cualquier otro anterior.

Para un bebé de talante inquieto, el primer espacio nocturno básico cabe que tenga una duración de cinco horas, desde las 10 de la noche hasta las 3 de la madrugada siguiente, por ejemplo. Con otro de carácter más soñoliento y plácido podría ser de seis horas, quizá desde las 7 de la tarde hasta la 1 de la madrugada siguiente o bien desde las 2 de la madrugada hasta las 8 de la mañana (este último periodo resulta tan sorprendente para los padres acostumbrados a tener que levantarse antes de que amanezca que es posible que necesiten la mitad del día para recuperarse del shock que tal circunstancia supone para su sistema y descuiden por completo lo que ello significa para su bebé).

El aspecto a considerar no es el número de horas o qué periodo de la noche cubren sino el hecho de que nuestro bebé nunca había dormido tanto hasta aquel momento. (Los primeros días de vida no cuentan ni tampoco los diversos instantes diurnos en que ha conciliado el sueño. Lo verdaderamente importante y que ha de ser prioritario para nosotros es el dormir de noche. La organización del dormir a lo largo del día puede esperar para más tarde.)

A la expectativa del espacio nocturno básico

Es posible que estemos pensando: «Todo esto es un poco vago. ¿Cómo puedo estar segura de que sabré cuándo mi bebé ha dormido durante un espacio nocturno básico?» Como idea puede parecer difícil de concretar pero cuando ello ocurra lo sabremos de inmediato si nos mantenemos vigilantes. Su aparición produce una impresión muy clara, aun cuando no nos demos cuenta de su trascendencia. Todos los padres con los que he tenido ocasión de hablar pueden recordar una noche en que su pequeño bebé inesperadamente durmió durante más tiempo de lo habitual. Algunas veces evocan aquella noche con expresión pensativa como si reconociesen que fue una oportunidad perdida.

——— o ———

«Querría haber conocido la existencia del espacio nocturno básico cuando mi bebé era todavía muy pequeño» dice Harriet, cuyo hijo Robbie ya hace algún tiempo que inició sus primeros pasos y nunca ha dormido más de una o dos semanas durante toda la noche. «Nos fuimos de vacaciones a Francia cuando tenía seis semanas y recuerdo cuán complacida me sentí cuando vi cómo una noche dormía durante seis horas seguidas. El había cambiado, pero yo no. El resultado es que seguí actuando como antes. Me había dado cuenta de dicha circunstancia pero no le había concedido la importancia que merecía.»

——— ○ ———

Es posible que nos sintamos complacidos cuando por primera vez nuestro bebé decide dormir durante más tiempo en horas nocturnas y que ello nos lleve a suponer que ha descubierto el sentido que encierra tal proceder. Sin embargo, no bajemos la guardia, ya que es muy frecuente el que un bebé se despierte tras un periodo mucho más breve en el curso de la noche siguiente. Al acudir a su lado para darle de comer o tomarlo en brazos es posible que nos invada el pensamiento de que lo que ha ocurrido anteriormente no ha sido más que un destello fugaz y que por tanto volvemos a estar como antes. Quizá lo que ocurre es, después de todo y según nuestra opinión, que todavía no está preparado.

Pero lo cierto es que sí lo está y que lo único que necesita es nuestra ayuda para consolidar lo que ha iniciado.

El momento de entrar en acción

Existe un plan de acción que procede seguir a partir del instante en que hace su aparición el espacio nocturno básico:

- La clave de todo es tratar estas horas como siendo el *sueño nocturno de nuestro bebé,* siempre que ello ocurra durante la noche. Son las horas que él ha elegido como primeros pasos hacia el poder dormir a lo largo de ella. En cierto modo lo que hace es experimentar qué sensación produce y comprobar si es seguro. Nosotros, por nuestra parte, debemos transmitirle una respuesta que le estimule y le dé confianza y este objetivo se consigue no interrumpiendo por ningún motivo lo que cabe calificar de «horas protegidas».
- *Nunca demos de comer otra vez a nuestro bebé durante las horas en que duerme sin interrupción* dentro del espacio nocturno básico. De hecho ya nos ha puesto claramente de manifiesto que puede pasar sin comer durante dichas horas. Por consiguiente, creámosle.
- La noche siguiente, si se despierta durante dichas horas, dejémosle solo por unos minutos para que vuelva a conciliar el sueño. Es posible que no esté seguro de si quiere algo o no y probablemente volverá a dormirse transcurrido un breve espacio de tiempo. (Pensemos en cómo obramos nosotros si nos despertamos en mitad de la noche y mientras pensamos si debemos levantarnos para beber un vaso de agua.) Muchos padres recuerdan haberse despertado al oír un lloro de su bebé y haberse quedado dormidos de nuevo mientras trataban de reunir la energía nece-

saria para acudir a su lado. Se despertaron otra vez algo más tarde y se quedaron sorprendidos al descubrir que su bebé se había vuelto a dormir por propia iniciativa. De hecho creyeron que deseaba comer pero lo que puso de manifiesto es que había aprendido a establecer una separación entre la comida y el dormir. Liberado de las exigencias urgentes de su estómago todavía inmaduro, está comenzando a controlar por sí mismo el proceso que regula su dormir.

- Si nuestro bebé se pone a llorar con fuerza durante las horas coincidentes con el espacio nocturno básico, utilicemos otros métodos para tranquilizarlo. Si le damos cariñosas palmaditas mientras permanece en su cama, este proceder viene a reforzar el mensaje de que todavía es de noche y por tanto debe volver a dormirse. En cambio, si lo tomamos en brazos es probable que se sienta estimulado y se despierte aun más y espere como resultado que se le dé de comer. Si le damos un amoroso abrazo, depositémoslo de nuevo en su cama tan pronto como se haya tranquilizado al objeto de que se duerma por propia voluntad.
- El objetivo perseguido es perturbarlo lo menos posible durante el espacio nocturno básico al objeto de permitirle consolidar la pauta que acaba de iniciar y que le lleva a dormir durante más tiempo que hasta entonces. Démosle unas palmaditas, hablémosle con suavidad, susurrémosle una canción de cuna, arropémoslo, ofrezcámosle un chupete o un sorbo de agua. Hagamos lo mínimo pero obrando de tal modo que perciba que todavía nos hallamos presentes. De este modo quedará convencido de que todo marcha bien y que ha llegado el momento de dormirse. De hecho él ya nos ha señalado claramente que éste es el periodo que puede dedicar al sueño. Lo único que hacemos nosotros es recordárselo.
- Tengamos bien presente que él toma de nosotros sus ideas respecto al mundo. Aun cuando su cuerpo se halla adaptado para poder dormir de un modo gradual durante toda la noche, las impresiones que recibe de nosotros pueden interferir este programa. Por consiguiente, esforcémonos en tratar de transmitir una atmósfera de paz, tranquilidad, calma y sueño reparador.

Si nos ajustamos a este enfoque, transcurridos pocos días nuestro bebé dormirá de un modo continuado por lo menos durante las horas del espacio nocturno básico. Ahora bien, aun cuando su noche resulta todavía corta en comparación con la del futuro, lo cierto es que ya ha aprendido la más importante de todas las capacidades relacionadas con el dormir, es decir, cómo irse a la cama para conciliar el sueño y cómo volver a dormirse en el caso de despertarse. Y todo esto lo ha aprendido cuando sólo tenía unas pocas semanas de edad.

Su noche cabe que sea corta pero es real, es decir, no se compone de breves siestas entre comidas a lo largo de las 24 horas del día. Y ésta es la gran diferencia entre un bebé recién nacido y aquel que con una edad de pocas semanas ha comenzado ya a dormir durante todo el espacio nocturno básico.

Cómo ampliar el espacio nocturno básico

Tan pronto como nuestro bebé ya duerma durante el espacio nocturno básico podremos comenzar a ampliarlo. El periodo más común para que un bebé elija comenzar a dormir durante el referido espacio es a partir de las 10 de la noche. Si el nuestro se decide por esta hora al principio, necesitaremos extender el espacio hacia atrás, es decir, hacia el instante que hemos elegido para que se vaya a la cama, y también hacia adelante, o sea la mañana del día siguiente. Para la extensión hacia atrás deberemos llevar nuestro bebé a la cama un poco más temprano cada noche. A tal fin podemos decirle: «Ahora que te portas tan bien durmiendo por la noche, sé que puedes hacerlo todavía un poco más». Este proceder va encaminado a reforzar nuestra propia confianza. Los bebés, por su parte, parecen adaptarse con rapidez y gran facilidad. De hecho son nuestras propias dudas las que con mayores posibilidades cuentan de retardar el proceso.

Si nuestro bebé pertenece al grupo de los dóciles y sumisos que comienzan a dormir durante el espacio nocturno básico a partir del instante que debe considerarse como el adecuado para irse a la cama, como por ejemplo las 7 de la tarde, entonces sólo necesitaremos extender el referido espacio hacia la mañana siguiente. No resulta habitual el que un bebé sitúe su espacio nocturno básico de modo que se inicie a partir de las primeras horas de la madrugada y finalice tarde por la mañana, como por ejemplo desde las 4 a las 9 o las 10, pero esto es algo que algunas veces ocurre. Si nuestro bebé elige este horario para situar en él su espacio nocturno básico no deberemos despertarle más temprano a menos que sea absolutamente necesario. Lo que debemos hacer es simplemente llevarlo a la cama más temprano y el momento de despertarse por la mañana se ajustará por sí solo en el momento oportuno.

——— o ———

Ocho semanas transcurrieron entre el momento en que mi hija durmió por primera vez a lo largo del espacio nocturno básico cuando su edad era de cuatro semanas y aquel en que con carácter permanente adoptó la pauta de hacerlo entre las 7 de la tarde y las 7 de la mañana. Al principio avancé paulatinamente su hora de irse a la cama a razón de diez o quince minutos cada pocos días. Después, cuando mi confianza se hizo mayor, recurrí a periodos de media hora cada vez. Procede señalar que aceptó sin problema alguno todos estos avances que suponían acostarse más pronto y resultado de tal medida fue que progresivamente durmió hasta más tarde de la mañana siguiente. Considerada la cuestión en retrospectiva debo admitir que podría haber conseguido mi propósito con mayor rapidez.

Sólo como ejemplo de cuán suavemente puede funcionar el enfoque del espacio nocturno básico, a continuación ofrecemos una tabla en la que se indica su desarrollo a lo largo de ocho semanas:

Edad en semanas	El dormir se inicia	El dormir finaliza
4	10,00 de la noche	3,00 de la madrugada
5	9,45 de la noche	3,30 de la madrugada
6	9,30 de la noche	4,00 de la madrugada
7	9,15 de la noche	5,00 de la madrugada
8	9,00 de la noche	5,30 de la madrugada
9	8,30 de la noche	6,00 de la madrugada
10	8,00 de la noche	6,30 de la madrugada
11	7,30 de la noche	6,45 de la madrugada
12	7,00 de la noche	7,00 de la madrugada

Las ventajas de este sistema son muchas:

- Se ajusta a la iniciativa de nuestro bebé.
- Se mantiene en estrecho contacto con sus propios ritmos naturales, tanto por lo que se refiere a dormir como a despertarse.
- Le ayuda a establecer una separación entre el dormir y el comer.
- Significa ausencia de lloros.
- Permite a nuestro bebé comenzar a dormir por la noche tan pronto como se encuentra físicamente capacitado para hacerlo.
- Le ayuda a comenzar a aprender cómo volver a conciliar el sueño por sí mismo si se despierta por la noche.
- Son iguales los resultados tanto en el caso de bebés alimentados con leche materna como en el de los que toman biberón.

Procede destacar que este último punto es de especial interés.

Cómo comenzar a separar la comida del dormir

Es creencia común que los bebés alimentados con leche materna no pueden dormir por la noche durante tanto tiempo como los que toman biberón. Debido a que la leche materna es más digerible, se supone que el hambre hace que los bebés se despierten más pronto. Sin embargo, las investigaciones más recientes vienen a confirmar lo que ya había sugerido la experiencia de muchos padres de bebés alimentados con leche materna, es decir, que dadas las mismas condiciones ideales por lo que a dormir respecta, las pautas se ajustan exactamente a las de los que toman biberón. Dicho de otro modo, tenemos que los bebés pueden separar sus necesidades de dormir de las de comer desde muy temprana edad.

Existe una escuela de pensamiento que dice que debemos despertar a nuestro bebé para darle de comer cuando nos vamos a la cama y ello con objeto de que duerma sin interrupción hasta la mañana siguiente. Cuando el mío dormía desde las

8h 30 de la noche hasta las 5h 30 de la madrugada puse a prueba este consejo. Con gran horror vi cómo se despertaba llorando cuatro horas más tarde, algo que no había hecho desde hacía semanas. Entonces le pregunté a Lucy qué es lo que había hecho mal.

«Podría haberte dicho que haría esto», me dijo. «Se despertó temprano porque perturbaste su ciclo natural a medianoche y le diste una comida cuando no tenía hambre suficiente en aquel momento. Con ello sólo conseguiste confundir su sistema digestivo. Debe tenerse en cuenta que está descubriendo sus propios ritmos por lo que a comer y dormir respecta y el alimento que innecesariamente le proporcionaste los desbarató».

De acuerdo con la experiencia de Lucy, un bebé al que se despierta para darle de comer cuando sus padres se van a la cama a menudo se despertará en el momento en que lo habría hecho sin que previamente hubiese recibido alimento alguno. Si permanece dormido ininterrumpidamente hasta la mañana siguiente, es probable que pudiera hacerlo también sin haber comido nada. Para mí constituyó una buena lección y me mostró claramente que un bebé, aun cuando sea de muy corta edad, puede comenzar a desarrollar sus propios ciclos por lo que a dormir respecta independientemente de sus necesidades alimenticias. Algunas veces existen razones médicas que justifican el que un bebé sea despertado para darle de comer pero tratándose de aquellos que gozan de buena salud y ganan peso según lo previsto la regla de oro de Lucy es la siguiente: jamás debemos despertar a un bebé que esté durmiendo.

La relación entre comida y dormir es objeto de amplia consideración en el capítulo siguiente. El aspecto a tener en cuenta aquí es con qué rapidez nuestro bebé se adapta y se desarrolla. Mientras que nuestro bebé recién nacido es un esclavo de su estómago y no puede permanecer dormido cuando lo tiene vacío, cuando su edad ya alcanza varias semanas su sistema nervioso y también el digestivo han madurado lo suficiente para permitirle irse a dormir solo y contento y permanecer dormido durante toda la noche.

El espacio nocturno básico viene a ser la clave, ya que nos permite amoldarnos a la iniciativa de nuestro bebé y al mismo tiempo hacer rápidos progresos hacia la consecución de una buena noche de sueño reparador para él y también para nosotros.

Plan para dormir durante el espacio nocturno básico

- El espacio nocturno básico es el elemento central del programa que con relación al dormir lleva incorporado nuestro bebé. Constituye la señal de que se halla preparado para prescindir de la comida a lo largo de prolongados periodos de la noche.

- Típicamente hará su aparición cuando nuestro bebé haya alcanzado la edad de un mes aproximadamente. De forma repentina comenzará a dormir durante un lapso de tiempo mayor de lo que había hecho hasta entonces.
- El aspecto a considerar no es el número de horas o el momento de la noche que cubra. Es, ante todo, la transición que da lugar a que nuestro bebé inicie una fase en la que duerme durante más tiempo.
- A partir del instante en que comience a dormir a lo largo de todo un espacio nocturno básico no volvamos a darle de comer durante estas horas.
- Consideremos el espacio nocturno básico como constituido por «horas protegidas». Pensemos en él como siendo el sueño nocturno de nuestro bebé aun cuando con el tiempo su duración se incrementará. En este punto inicial lo que cuenta es la calidad y no la cantidad.
- Esforcémonos en no perturbar a nuestro bebé bajo ningún concepto durante dichas horas. Si se despierta, démosle la oportunidad de volver a dormirse por propia voluntad.
- Si necesita nuestra ayuda para volver a dormirse, tranquilicémoslo y arropémoslo manteniendo sin embargo nuestra intervención a un mínimo. Debemos evitar que pueda creer que el tiempo de dormir ya ha terminado.
- Comencemos a prolongar su espacio nocturno desplazando el momento de irse a la cama de modo que se sitúe cada vez más cerca de aquel previamente decidido por nosotros y estimulándolo para que vuelva a dormirse si se despierta antes de llegar al término de su espacio nocturno básico. Con ello comenzará a irse a la cama más pronto y a dormir hasta más tarde a medida que su capacidad para permanecer dormido durante periodos más prolongados por la noche se vaya desarrollando.
- A menos que existan razones médicas que lo estimen necesario, nunca deberemos despertar a un bebé que esté durmiendo.

6 • COMER Y DORMIR

Una relación cambiante

«Come un poco y duerme durante espacios breves de tiempo. Se duerme al atardecer pero se despierta varias veces después de la medianoche y pide un biberón cada vez. Vuelve a dormirse después de comer y cabe inferir por tanto que si se despierta es porque tiene hambre. Probablemente necesita la noche debido a que se alimenta mal durante el día.»

Madre de Betania, de casi un año de edad.

La relación con la comida es muy intensa en el caso de un pequeño bebé. Cuando está hambriento, llora con frenesí. Y al ofrecerle comida, deja de llorar inmediatamente. Con ello sus padres sienten un gran alivio y se muestran satisfechos. Saben que están haciendo algo correctamente.

A partir de esta presunción es breve el paso que lleva a pensar que el dar de comer es pieza esencial para ser considerado un buen padre. Las mujeres, en especial, a menudo estiman que la comida y los cuidados vienen a ser casi la misma cosa. Comida es sinónimo de cuidados maternales y viceversa. Como consecuencia de ello se llega a la conclusión de que la comida constituye la respuesta, sea cual fuere la pregunta. Pero conviene no olvidar que incluso un bebé recién nacido sólo necesita comer cuando es esto lo que realmente precisa.

El capítulo 4 puso de manifiesto cuán importante es aprender a reconocer el lloro provocado por el hambre en nuestro bebé. Significa que hemos de darle de comer cuando tal necesidad realmente existe y encontrar otros medios de consuelo cuando no concurre tal circunstancia. Es asimismo el primer paso para desarrollar una vía de comunicación con nuestro bebé, haciendo con ello que resulte menos probable el que entre ambos surjan malentendidos y se genere confusión.

Confusión en torno a la comida

Si damos de comer a nuestro bebé tan pronto como se pone a llorar, lo que puede ocurrir es lo siguiente. Se despierta. Desconcertado, llora un poco. Entonces piensa: «¿Tengo hambre? Cabe que sea un poco irritable. No estoy seguro. Me siento confundido. (Llora un poco más). ¡Oh! aquí llega la comida. Magnífico. La tomaré. Mmmm. Muy bien. Me siento soñoliento. Podría volver a dormirme. ¡Un momento! ¿Qué es esto? Me ponen en la cuna. Pero si todavía tengo hambre. O quizá sueño. O algo. ¡No sé lo que soy!» (Llora más fuerte que nunca).

Lo indicado puede parecer fantasioso pero ocurre infinidad de veces. De hecho me ocurrió a mí y ambos nos vimos envueltos en un embrollo sin salida. Llamé a diversas organizaciones defensoras de la lactancia materna para que me ayudasen y todas insistieron repetidamente en lo que denominaban «el pestillo», lo cual me hacía sentir como si yo fuese una aprendiz de cerrajero. No me habría importado seguir su consejo salvo por el hecho que el «pestillo» (que viene a ser la forma en que la boca del bebé se fija al pezón) era perfecto. La comadrona vecinal vino a decirme lo mismo y su explicación se ajustaba a todos los diagramas de los diversos libros. Y los consejeros sobre temas de lactancia materna no parecía que quisieran hablar de ninguna otra cosa. La situación se puso tan mal que me daba miedo pedir consejo a nadie pues temía que comenzasen a hablarme del famoso «pestillo».

Fue entonces cuando vino Lucy, «este bebé» dijo en tono de confianza, «es el que más pereza muestra al comer de entre todos los que jamás he visto».

Me sentí mejor de inmediato. De repente me di cuenta de que no era mía la culpa. Y dejé de creer que era una fracasada como madre al cuidado de un bebé. Mis preocupaciones se evaporaron. Experimenté un gran impulso de buena voluntad hacia mi perezoso bebé y fuertes deseos de ayudarle a mejorar. Y esto, por supuesto, lo que realmente significaba era iniciar un fuerte aprendizaje. Resultaba de todo punto evidente que estaba haciendo muchas cosas mal pero Lucy, dando muestras de gran tacto, planteó la cuestión considerándola desde el punto de vista del bebé.

«No se alimenta de un modo adecuado debido a que no tiene realmente hambre. Si recibiera su comida de un modo apropiado en el momento oportuno y su barriga se vaciase durante los intervalos correspondientes, podría relajarse hasta que volviera a sentir verdaderamente hambre y dormirse cuando de verdad lo necesitase.»

Partiendo de este enfoque comenzamos a desenmarañar todo el embrollo. Y éstas fueron las pautas seguidas:

- Demos de comer a nuestro bebé solamente cuando tenga verdaderamente hambre. Confirmemos el lloro que lo pone de manifiesto valiéndonos del reflejo de búsqueda (véase el capítulo 4).
- Demos de comer a nuestro bebé sólo mientras observemos que la ingestión se desarrolla de un modo correcto. Lucy da a esto el nombre de «mascar» pues resulta obvio que lo hace esforzándose considerablemente. De hecho podemos ver cómo su mandíbula se mueve mientras engulle. Cabe asimismo que al mismo tiempo sus orejas se agiten o su frente se desplace hacia arriba y hacia abajo.
- Cuando nuestro bebé ralentice su esfuerzo y de vez en cuando se detenga, permitámosle unos breves minutos de lo que podríamos denominar «chupar de confortación». Viene a ser algo así como el final de una buena cena. Unos chocolatines o unas uvas acaban de redondearla pero con carácter de extra y no como parte de la comida en sí.
- Un exceso de «chupar de confortación» hará que la ingestión de nuestro bebé resulte excesiva y esto provoca malestar. El dolor causado por una indigestión y el

originado por hambre probablemente le resultan muy parecidos a un bebé y por tal motivo su lloro puede que suene igual. Como consecuencia de tal circunstancia puede ocurrir que creamos que todavía tiene hambre y que le demos de comer una vez más. Es posible asimismo que lo acepte debido a que el chupar contribuye a mitigar su malestar. Sin embargo, lo cierto es que la comida adicional no hará más que empeorar la situación.

- No permitamos que nuestro bebé se quede dormido mientras toma el pecho. Lo que realmente necesitamos es que esté relajado, saciado, dispuesto a eructar y quizá con pañales limpios antes de meterlo en la cama para dormir.
- Si se adormila, pongámoslo sentado y esforcémonos para que se concentre de nuevo antes de que siga comiendo. Mantengámoslo en este estado acariciándole la barbilla o haciéndole cosquillas en los dedos gordos de los pies.
- Concentrémonos también nosotros en la acción de darle de comer.
- Un bebé que come bien ingerirá el 90 por ciento de lo que necesita en el curso de los primeros tres minutos. Hasta llegar al final del primer mes, cuando nosotros y nuestro bebé todavía estamos en periodo de aprendizaje, toda la labor de comer, fajar y cambiar los pañales aún requerirá algo menos de una hora.
- Es *cómo* nuestro bebé come, la calidad de esta acción, lo que realmente cuenta y no el tiempo que permanece succionando el pecho o la cantidad que toma del biberón.
- Algunos padres consideran que una comida resulta un éxito si el bebé se queda dormido, ya que ello viene a demostrar que está satisfecho y contento. Sin embargo, no ha experimentado el final de la comida o la transición al dormir y por ello no es consciente de cómo uno se siente al relajarse e irse a la cama. Idealmente, la comida debe finalizar con los ojos abiertos pero achispados, algo así como un estado de coma lácteo: «con aspecto de estar bebido», como dice Lucy.

Confusión relacionada con el dormir

Suena como una gran conmoción en torno a algo que debería ser sencillo y natural. Sin embargo resulta muy fácil programar nuestro bebé de modo que se despierte para tomar una comida que no necesita o impedirle que se duerma excepto si come. A menudo son los padres más amantes y que mayor preocupación manifiestan los que tienen un bebé que no puede dormir por la noche. De hecho han mostrado una rapidez excesiva en lo que a darle de comer respecta y sin quererlo han establecido unos vínculos firmes entre comida y dormir.

Nuestro bebé está aprendiendo a comer y también a dormir pero si el conocimiento que adquiere es que nosotros siempre comemos hasta que nos quedamos dormidos, éste será el único camino del que tendrá noticia respecto a la forma de irse a la cama.

Recordemos que todo el mundo, es decir, bebés, niños y adultos, se despierta varias veces por la noche. Una verificación de nuestro entorno llevada a cabo en estado semiinconsciente nos viene a confirmar que todo está perfectamente y con este convencimiento nos damos la vuelta y nos dormimos de nuevo. Sin embargo, si un bebé que habitualmente se queda dormido mientras come se despierta por la noche, considerará que todo cuanto le rodea está mal. Se encuentra solo en su cuna y el pecho o el biberón han desaparecido. Se sobresalta y se pone en estado de alerta. Debido a tal circunstancia cuando quiere volver a dormirse le resulta imposible a menos que el pecho o el biberón regresen para materializar las condiciones que él asocia con el conciliar el sueño.

No es que esté hambriento. Lo que ocurre es que no ha aprendido cómo dormirse sin comer previamente. Por consiguiente, al mismo tiempo que se le ha prestado una ayuda que le facilita el dormirse también se le han inculcado en su mente unas «indicaciones» para igual fin. El resultado de este enfoque es que en lugar de asociar el dormir con el permanecer en la cama instalada en una habitación tranquila y oscurecida lo hace con el comer.

Y si continúa recibiendo comida de modo regular por la noche, es muy probable que también comience a sentir hambre en dicho momento. En realidad esto no es más que un reflejo condicionado. Todos nosotros estamos programados para comer a determinadas horas del día y es por este motivo que nuestro estómago nos informa de cuándo ha llegado cada una de ellas. Nuestro bebé se sentirá hambriento en mitad de la noche por el simple hecho de que se ha acostumbrado a que sea dicho instante cuando habitualmente come.

Estas indicaciones equivocadas con relación al dormir pueden también estar presentes en torno a toda clase de hábitos, como por ejemplo el mecer o tomar el bebé en brazos para que duerma, y la consecuencia inevitable es que no se dormirá de nuevo si se despierta por la noche a menos que sea mecido o paseado. De todos modos la comida es la causa más común de que los bebés de edad inferior a un año se despierten por la noche.

——— ○ ———

Cuando Betania tenía casi un año, Bryony había convertido el comer por la noche en algo parecido a las bellas artes. Alineaba los biberones en una repisa antes de irse a la cama. Betania se despertaba, lloraba, recibía un biberón y se volvía a dormir. Esta situación se producía dos o tres veces cada noche.

Debido a que sólo quería el biberón y no exigía atención de sus padres, Bryony estaba convencida de que Betania se despertaba porque tenía hambre. Durante el día, sin embargo, comía de forma escasa y a menudo se mostraba irritable. Bryony creyó que si Betania comía más durante el día ello daría lugar a que el hambre no la despertase a lo largo de la noche. La hora de la comida se convirtió entonces en una especie de batalla entre las tácticas de persuasión de Bryony y la resistencia de Betania.

En el momento en que Betania estaba a punto de cumplir su primer año, toda la familia se sentía harta de la situación y así fue como se decidió pedir consejo a Lucy.

«No se despierta por la noche porque tenga hambre» dijo, «de hecho en ningún momento lo tiene. Lo que ocurre es que come poco durante el día debido a que bebe una cantidad apreciable de leche por la noche y tal circunstancia ha desarrollado en ella un hábito alimenticio nocturno.

»Cree que esperamos de ella que se despierte para tomar su biberón. Y dado que siempre se ha dormido después de comer no conoce otro sistema que no sea este. Cuando se despierta a medias por la noche, lo que quiere, como le ocurre a todo el mundo, es volver a conciliar el sueño. Sin embargo no puede debido a que la señal para que así suceda viene representada por el biberón. Por consiguiente, después de que se le ha dado, puede volver a dormirse.

»Se muestra irritable y un tanto desquiciada durante el día como resultado de no haber dormido lo suficiente. Y en realidad es así como las noches plagadas de interrupciones vienen a afectar a todo el mundo.»

Bryony podría haber decidido interrumpir el proceso y suspender los biberones nocturnos pero creyó que las protestas de Betania como consecuencia de esta medida habrían sido extremas y afectado todavía más las posibilidades de poder dormir de todos. Por dicho motivo Lucy sugirió una alternativa.

«Diluyan la leche de su biberón con agua» dijo, «al principio añadan una cuarta parte de ella. Después, al cabo de un día o dos, aumenten la cantidad hasta llegar a la mitad. Un poco más tarde la cifra deberá ser igual a tres cuartas partes hasta que al final sea todo agua. Betania pronto decidirá por sí misma que no debe ser molestada y despertada para tomar sólo agua. Conviene recordar que lo que le ocurre es que está cansada y no hambrienta y que lo que realmente necesita es dormir durante toda la noche. Esto es lo que su sistema requiere.»

La solución funcionó en menos de una semana. Betania durmió durante toda la noche y se despertó hambrienta para tomar su desayuno. Su apetito y su humor general mejoraron en grado irreconocible.

«Es un ser realmente agradable ahora», declaró su agradecido padre. También él había dado por sentado que Betania necesitaba sus biberones nocturnos hasta el punto de haber calificado la decisión de suspender el dárselos como algo contrario a la intuición.

———— ○ ————

Todo el mundo espera que demos de comer a un bebé cuando llora

La sorpresa totalmente genuina del padre de Betania ante el hecho de que la respuesta era la de darle de comer menos en lugar de más, viene a reflejar una creencia muy común según la cual un bebé que se despierta por la noche necesita alimento.

Si bien seguir ofreciendo comida por la noche más allá de lo que nuestro bebé necesita, hará que le impida poder consolidar su dormir de modo que se mantenga a lo largo de un espacio de tiempo prolongado y sin interrupción alguna, no se puede culpar a los padres por proceder de este modo.

Todo el mundo parece esperar de nosotros que demos de comer a un bebé que llora. Abuelas, madres experimentadas, doctores, comadronas y asistentas sociales todos parten con frecuencia del supuesto que el llorar, en especial durante la noche, viene provocado por el hambre. No debe sorprender, por consiguiente, que los padres crean que resulta «intuitivo» el que se responda a un lloro en mitad de la noche con comida. Aun en el caso de que sepamos que el lloro no reconoce en realidad como origen el hambre, aparece muy difícil, bajo esta clase de presión, no decidirse por dar de comer al bebé. Es obvio que obrar de este modo es mucho más fácil que intentar determinar cuál es la causa subyacente, en especial si también nosotros estamos crónicamente faltos de dormir.

Algunas madres lactantes se sienten preocupadas por el convencimiento de que su flujo de leche se verá negativamente afectado si permanecen durante doce horas sin darle el pecho a su bebé. Sin embargo conviene destacar que el cuerpo se adapta a esta situación con mucha rapidez y que en pocos días regulará dicho flujo para que se ajuste a la nueva pauta alimenticia.

Por supuesto, si damos el pecho y queremos suspender el hacerlo por la noche, no nos será posible valernos del método de aguado que funcionó en el caso de Betania. Es mejor cesar por completo ya que restringir la cantidad a un mínimo muy escaso podría dar lugar a que nuestro bebé se pusiera furioso. Una medida intermedia, si el dar el pecho por la noche ha supuesto periodos de tiempo prolongados y acompañados de mimos y caricias, es la de convertir el proceso en una actividad puramente funcional y acompañada por un mínimo de perturbación. Cuando llegue el momento en que consideremos que procede suspender el dar el pecho, podemos intentar proporcionar un poco de agua en su lugar.

Sin embargo, si nos ajustamos desde el principio al enfoque descrito en este libro, nunca se desarrollará el hábito de ingerir leche por la noche. De hecho, este hábito cesará de forma natural en el momento en que nuestro bebé ya sea físicamente capaz de dormir por sí mismo durante todo el espacio nocturno.

—— o ——

Los padres de Joe, cuya edad es de un año, encontraron un sistema para evitar las molestias que suponía el que se despertase muy pronto por la mañana. Colocaron un biberón dentro de su cuna cuando se iban a la cama. Cuando se despertaba, a las 5 de la madrugada, podía asir su biberón, bebérselo y volver a dormirse. Esto permitía a sus padres poder dormir pero no contribuía en absoluto a que Joe aprendiera a permanecer dormido hasta más tarde por la mañana. Tenía una buena razón para despertarse a las 5 de la madrugada y era la «recompensa» que suponía el biberón que estaba esperándole.

También venía a significar que su sistema venía condicionado por el hecho de conseguir un alimento en un instante en que hubiera debido estar descansando y por tal motivo la calidad de su sueño por la mañana temprano era deficiente. De hecho el que conciliaba después de ingerir el biberón se asemejaba más a una siesta matinal que al dormir que caracteriza a una noche sin interrupción alguna.

——— o ———

Por regla general nunca proporcionemos a nuestro bebé un biberón colocado junto a él dentro de la cuna.

- La leche contiene azúcar y el nivel de éste es todavía más elevado en los zumos de frutas, y nada puede ser peor para el desarrollo dental de nuestro bebé que bañar su boca en él.
- No disponer de un biberón que pueda sostener cuando se encuentra en la cuna significa que nuestro bebé no desarrollará el hábito de comer para después poder dormirse. Esta «señal equivocada para conciliar el sueño» hará que le resulte imposible dormirse si no cuenta con un biberón.
- Si nuestro bebé siempre ha tomado la leche recogido entre nuestros brazos, podemos vigilar hasta qué punto ingiere la necesaria pues ello nos servirá de guía para determinar si verdaderamente precisa o no de ella en un momento dado.

Este último consejo resulta especialmente útil por la noche. Por consiguiente esforcémonos para determinar *cómo* toma su alimento: ¿Hambriento? ¿Adormecido? ¿Inquieto? ¿Indiferente? Cuando Lucy sugiere que es necesario vigilar este punto, los padres que siguen el consejo a menudo observan que las ingestas nocturnas son muy deficientes. Esto los incita a no tratar de alimentar a su bebé por la noche en lugar de saltar de la cama al primer lloro. Con frecuencia se sorprenden al descubrir que su bebé se vuelve a dormir por sí mismo. Con ello se ha conseguido dar un gran paso hacia adelante, simplemente decidiendo no hacer nada. De hecho, el no hacer nada viene a ser la respuesta apropiada a las señales que el bebé envía en el sentido de que realmente no necesita tomar alimento alguno en dicho instante.

Pasar toda la noche sin alimento alguno

Al cumplir un mes de edad aproximadamente, el sistema digestivo de nuestro bebé ha madurado lo suficiente como para permitirle comenzar a establecer una separación entre el dormir y el alimentarse. Y nos informa de cuando esto ha ocurrido durmiendo a lo largo de todo un espacio nocturno básico. Después de esto, tal como se explicaba en el capítulo 5, ya no debe recibir alimento alguno durante estas horas.

Al llegar a este punto nuestro bebé duerme durante cinco o seis horas por la noche sin ingerir nada si bien ello no obsta para que lo haga con frecuencia a lo largo del día. Requiere que transcurra un mes aproximadamente para que los bebés y sus padres se adapten al nuevo proceso alimenticio y dominen el sistema de comunicación que lo acompaña. Mientras estamos inmersos en la etapa de aprendizaje puede ocurrir que algunos bebés lleguen a tomar alimento hasta ocho veces a lo largo de 24 horas pero esto rápidamente se estabiliza hasta quedar situado en seis.

Si un bebé de seis semanas duerme durante ocho horas por la noche, esto nos deja con sólo dieciséis para todas sus tomas de alimento. Si el número de éstas es de seis, resulta evidente que será preciso que estén muy próximas unas de otras. Esto, sin embargo, carece de importancia. Dormir durante toda la noche supone un gran salto hacia adelante en su desarrollo y por ello necesita cualquier ayuda que se le pueda prestar para conseguirlo.

Muchos bebés que desde temprana edad duermen a lo largo de muchas horas por la noche parece ser que necesitan una «doble ración» antes de iniciar su prolongado sueño. Es algo así como si necesitasen acumular reservas para el espacio nocturno. A tal fin ponen de manifiesto señales de tener hambre una hora aproximadamente después de la ingestión realizada al anochecer. Resulta de ayuda mantenerse vigilante sobre este punto ya que en caso contrario podemos acabar pensando: «No puede tener hambre» mientras él insiste en que *sí* la tiene. Por consiguiente, su carácter ha de ser el de dos comidas separadas, aún en el caso de que estén muy próximas en el tiempo, y no permitir que por cualquier circunstancia se conviertan en una sola que se prolongue a lo largo de todo el anochecer.

La alimentación programada

Es creencia común que los bebés que toman biberón se entregan más pronto al sueño para dormir a lo largo de toda la noche que aquellos que toman el pecho y ello debido a que la fórmula adaptada es menos digerible y permanece durante más tiempo en el estómago. Éste es un factor que comprensiblemente convence a muchas madres a valerse del biberón. No obstante, la investigación ha confirmado actualmente que no existe diferencia alguna respecto a la edad en la que un bebé criado con leche materna dormirá toda la noche o durante unas cuantas horas. De hecho es mucho más importante la forma en que se enfoca la cuestión del dormir de nuestro bebé.

Los bebés que toman el pecho es posible que precisen ser alimentados con mayor frecuencia *al principio* pero de ello no debe inferirse que no sean capaces de dormir durante toda la noche a edad igualmente temprana. A partir del momento en que un bebé se halla preparado para comenzar a dormir a lo largo de prolongados espacios de tiempo deja de ser un esclavo de su estómago. Recordemos que nuestro bebé aprende a separar la alimentación del dormir, cuando por primera vez consigue permanecer dormido sin interrupción a lo largo del espacio nocturno básico y esto suele ocurrir aproximadamente cuando ha cumplido un mes de edad.

En la alimentación programada se suspenden gradualmente las comidas hasta conseguir que el bebé duerma durante toda la noche. Un bebé recién nacido recibe alimento entre seis y ocho veces al día, es decir, cada tres o cuatro horas. La ración correspondiente a las 3 o 4 de la madrugada es la primera que desaparece y ello tiene lugar cuando su edad se halla comprendida entre las cuatro y las seis semanas. Con ello el bebé duerme desde su ración de las 11 o 12 de la noche hasta la de primeras horas de la mañana, o sea las 5 o 6. Esto se conoce como «dormir durante toda la noche» aun cuando en realidad sólo cubre entre seis o como máximo ocho horas y probablemente siete si incluimos el tiempo exigido por la ración de la noche y el despertar antes de que se tome la correspondiente a la mañana.

La siguiente ración que debe desaparecer es la de las 12 de la noche. Con ello liberaremos nuestro anochecer y conseguiremos un bebé que dormirá aproximadamente doce horas nocturnas que en este caso discurren desde la ración de las 6 de la tarde hasta después de las 8 de la mañana.

Observemos que la supresión de la ración de las 3 o 4 de la madrugada se corresponde, por lo que a edad respecta, más o menos con el número de horas dormidas e incluso, en la mayoría de los casos, con el espacio nocturno básico que el bebé elegirá para dormir por decisión propia. La suspensión de la ración de las 12 de la noche supone ampliar el dormir nocturno, desde el espacio básico original hasta el momento elegido por nosotros para que el bebé se vaya a la cama, y también hacia adelante por lo que a la mañana siguiente respecta.

De hecho es escasa la diferencia en la conducta real del bebé por lo que a dormir se refiere. El enfoque basado en la eliminación de instantes destinados a la alimentación parece algo sencillo sobre el papel pero no tiene en cuenta al bebé que no se ajusta a este programa particular y nada dice con relación a lo que debemos hacer si nuestro bebé no muestra voluntad alguna de querer dormirse después de haber comido. Como todo nuevo padre puede comprobar, lo que aparece como algo sencillo sobre el papel no guarda parecido alguno en la vida real con un bebé.

La demanda de alimento

Hoy en día, el dar de comer ajustándose a un estricto programa constituido por periodos de cuatro horas se ha visto sustituido, en elevada medida, por otro más flexible en el que la alimentación se rige por la demanda. Resulta del todo claro que este sistema es mejor para la mayoría de bebés, cuyo reloj corporal no se halla ajustado a ciclos de cuatro horas desde el primer día.

- Supone la eliminación de tristes horas de lloros por parte del bebé y de tener que soportarlos por parte nuestra.

- Significa asimismo que comenzamos a comunicarnos con nuestro bebé desde un principio, aprendiendo a tal fin el significado de sus distintos lloros. Éste es el sistema a través del cual ambos descubrimos la forma en que consigue informarnos de cuándo tiene hambre.
- Se ajusta a los ritmos propios de nuestro bebé en lugar de imponerle de forma injusta un horario teniendo en cuenta que no está en condiciones de identificar la hora.

Dar de comer siguiendo un programa contaba, sin embargo, con una ventaja. Era apropiado para conseguir que los bebés durmieran durante toda la noche. Funcionaba debido a que en el momento en que el reloj nos decía que podíamos darle de comer teníamos ante nosotros, sin ningún género de dudas, a un ser hambriento. Los bebés dormían a lo largo de toda la noche tan pronto como podían (probablemente aliviados al no tener que desgañitarse para conseguir comida) y con ello finalizaba el alimentarse en horas nocturnas antes de que surgiera la posibilidad de que se convirtiera en un hábito.

Nada contribuye tanto a que todo el proceso de establecer unos ritmos regulares en las comidas y en el dormir se desarrolle sin problemas, como un bebé que sabe cómo pedir comida cuando tiene hambre, la ingiere con buen apetito y después relajado se duerme. Esto es algo que podemos aprender a través del éxito conseguido por la alimentación programada al ayudar a los bebés que duerman durante toda la noche desde muy temprana edad.

Con toda la razón rechazamos la alimentación programada cuando la misma significa dejar a un bebé hambriento llorar desconsoladamente y sin esperanza de verse satisfecho hasta que las manecillas del reloj se sitúan en una determinada posición. Pero tampoco constituye una señal de cariño hacia un bebé darle de comer cada vez que abre la boca. Alimentar ajustándose a la demanda, lo cual significa dar de comer a nuestro bebé cuando lo necesita, actualmente y con frecuencia se estima que quiere decir proporcionarle alimento cada vez que llora y esto no redunda en beneficio alguno para nadie. No le hagamos esperar hasta que las manecillas del reloj señalen la hora prevista para comer pero igualmente importante resulta evitar hacerlo *antes* de que realmente lo necesite.

Imaginemos lo que ocurriría si cada vez que pensásemos en comida se nos pusiera un plato con ella ante nosotros. Si la aceptásemos por el simple hecho de que la tenemos delante, nuestro estómago protestaría, nuestros ritmos corporales se verían desequilibrados y nuestra capacidad para dormir también acabaría afectada. Y esto es lo que ocurre cuando a un bebé se le da de comer con excesiva frecuencia y lo es doblemente si tal circunstancia se da por la noche en que su sistema digestivo y el resto de su cuerpo junto con el cerebro deberían descansar y no tratar con comida.

Al igual que Betania, la cual fue transformada en un bebé feliz con muy buen apetito a la hora del desayuno cuando se le dio la oportunidad de romper el hábito de despertarse por la noche para tomar algún alimento, nuestro bebé nos manifestará de un modo claro cuán contento se siente por poder dormir durante la noche si nosotros se lo permitimos.

Plan para dormir basado en la regulación de la comida y del sueño

- Demos de comer a nuestro bebé solamente cuando esté realmente hambriento.
- Démosle de comer únicamente cuando lo haga de modo apropiado y vigorosamente.
- Concedámosle unos pocos minutos del chupar de confortación pero no lo prolonguemos indefinidamente.
- Mantengamos a nuestro bebé concentrado en la acción de comer y de paso concentrémonos también nosotros.
- No permitamos que se duerma mientras está comiendo. Recuperemos su atención y dejemos que complete la toma de alimento despierto pero relajado.
- Pongámoslo en su cuna antes de que se duerma.
- Hagamos que las tomas de alimento nocturnas sean breves y limitadas a su propósito. Mantengamos la perturbación que las mismas implican a un mínimo.
- No proporcionemos jamás un biberón a nuestro bebé para que se lo lleve junto a él en la cuna.
- Concentrémonos en conseguir que duerma toda la noche sin tomar alimento alguno, aun cuando todavía lo tome con mucha frecuencia durante el día. Con nuestra ayuda nuestro bebé se adaptará con rapidez a los ritmos diferenciados del día y de la noche.
- Jamás demos de comer a nuestro bebé por la noche después de que haya comenzado a dormir a lo largo de toda ella. La dentición u otros trastornos darán lugar ocasionalmente a noches interrumpidas y a este respecto conviene recordar que ofrecerle alimento en tales casos solamente servirá para crear confusión y depositar la simiente de un problema relacionado con el dormir. Utilicemos pues otros medios para tranquilizar a nuestro bebé momentáneamente inquieto.
- Recordemos que si se dan las condiciones correctas, los bebés criados con leche materna pueden comenzar a dormir durante toda la noche tan pronto como los que sólo toman biberón. Y que nuestro bebé puede empezar a establecer una separación entre la comida y el dormir desde una edad tan temprana como la de un mes.

7 • INFLUENCIA DEL DÍA SOBRE LA NOCHE

Hábito y rutina

«¡Cama! ¡Cama!»
Andrea, de dieciséis meses de edad.

Lo que ocurre por la noche viene determinado por lo que sucede durante el día. Al igual que nuestro propio sueño se ve afectado por todo lo que tiene lugar en nuestras vidas, es decir, tensión, preocupaciones, carencia de aire puro y ejercicio, etc., carece de sentido considerar la conducta nocturna de nuestro bebé como algo aislado de lo que acaece durante su periodo diurno.

Este capítulo se ocupa del tiempo a lo largo del cual nuestro bebé se supone que no está dormido. El siguiente considera los trastornos normales que inevitablemente se producirán, después de que su dormir nocturno esté bien establecido, cuando se supone que se encuentra sumido en profundo sueño.

Utilización de la fuerza del hábito

Hemos visto con qué rapidez se desarrollan los hábitos, incluso en bebés de muy corta edad. Conviene destacar que los bebés se muestran fuertemente inclinados hacia la repetición y ello debido a que se esfuerzan considerablemente para desarrollar unas reglas que les ayuden a comprender cómo funciona el mundo. Apoyándonos en nuestra propia experiencia sabemos cuán poderosos pueden ser los hábitos y cuan difícil resulta romper con ellos. Los hábitos reconocen como origen todo cuanto hacemos cada día. La forma en que cuidamos de nuestro bebé es la nuestra habitual de hacer las cosas y las expectativas que esto crea vienen a ser el comienzo de sus propios hábitos.

El hábito es una fuerza que siempre está en nosotros y dado que no podemos escapar de ella, la mejor táctica es sacar provecho de la situación. La idea consiste en estimular los buenos hábitos e impedir que los malos se formen. Y nuestro mejor aliado en este empeño es la rutina.

Procede señalar, sin embargo, que la rutina se encuentra un poco fuera de uso. Hizo su aparición de un modo natural cuando la vida era más ordenada y predecible, y el ritmo que seguía era más lento. Todo se desarrollaba a base de unas horas de comida regulares y abundancia de tiempo para dedicarlo a las labores domésticas y al cuidado de los niños. Hoy en día, en cambio, la vida presenta un carácter complejo, variado, flexible y a menudo frenético. No obstante, esto no es preciso que signifique que la rutina constituye una causa perdida.

Para nuestro bebé la rutina no significa el momento exacto en que ocurren las cosas. De hecho no está en condiciones de señalar la hora. Para él supone una relación con una serie de indicaciones o señales de las que puede depender para que le informen de lo que va a ocurrir a continuación.

Los bebés manifiestan a edad muy temprana la satisfacción que para ellos se deriva de estas secuencias. Un bebé de pocos meses de edad reaccionará con placer ante el sonido de la llave introduciéndose en la cerradura ya que le anuncia el regreso de alguno de sus padres. Para un bebé de más edad, la comida del mediodía puede convertirse en el evento que siempre va seguido por una siesta, aun en el caso de que tanto la hora de dicha comida como de la siesta varíen de un día para otro. Y a todo ello cabe añadir que un bebé se halla bien programado para dormir si invariablemente constituye el paso inmediato dentro del orden siguiente: baño, cena, cama. Es, por consiguiente, la secuencia lo que cuenta y no el momento preciso del día.

Los bebés se sienten seguros cuando saben dónde se encuentran y qué es lo que va a ocurrir a continuación. Y lo mismo se puede decir de ciertos padres. Algunos de nosotros concedemos más importancia al reloj que otros. Yo, por ejemplo, me mostraba muy partidaria del irse a la cama a las 8 de la tarde y esta idea, una vez asentada, sólo era objeto de variación cuando concurrían circunstancias especiales. Mi bebé, por su parte, también se convirtió en un observador tanto o más atento que yo del reloj. «¡Cama! ¡cama!» decía cuando se le mostraba la cuna a las ocho en punto. Emma, la hija de Lucy, cuando todavía era un bebé prácticamente se arrastraba hacia su cuna cuando llegaba la hora de irse a dormir.

A mí personalmente me gusta así. Otros padres quizá tengan la sensación de que sufren el dictado del reloj. La cuestión, sin embargo, es que tal hecho carece de importancia y podemos decidir lo que mejor nos convenga. El punto a tener en cuenta es la rutina y no el momento, o bien hacer las cosas exactamente en el mismo instante todos los días.

Como es natural, en este ámbito lo importante es que todo se desenvuelva dentro de unos límites razonables. Una siesta matinal puede variar no sólo en cuanto al instante sino también respecto a su duración de un día para otro. No obstante si no tiene lugar de acuerdo con una base apreciablemente regular, no podemos esperar que nuestro bebé adquiera el hábito y se mantenga en él.

Cuándo introducir una rutina para irse a la cama

Un buen momento para introducir una rutina al caer la noche es cuando nuestro bebé ha alcanzado la edad de dos meses. Cuanto más pronto empecemos, más profundamente arraigado estará el hábito de irse a la cama, pero dos meses es lo más pronto que razonablemente podemos esperar para comenzar a actuar. Antes de esta edad no tiene todavía una idea formada con relación a lo que significa irse a la cama, independientemente de que duerma hasta que es el momento de levantarse, como para que signifique mucho para él.

Puede servir de ayuda con relación a esta cuestión el establecer una comparación entre los primeros pocos meses y el calendario de Lucy:

- Se requieren dos semanas para que nosotros y nuestro bebé nos adaptemos a su presencia en el mundo. Este periodo constituye la etapa más difícil y puede resultar algo angustiosa para todos. Por consiguiente, es mejor no esperar que la misma se caracterice por una situación de idílica armonía doméstica. Los nuevos padres se ven bombardeados por rosadas imágenes de parejas que contemplan a su hijo transidos de felicidad. Conviene señalar que en todos los casos estos bebés tienen alrededor de cuatro meses.
- En el curso del espacio constituido por la tercera y cuarta semana se desarrolla un clima de confianza. Nuestro bebé comienza a creer que sus necesidades se verán atendidas. Y nosotros, por nuestra parte, también comenzamos a adaptarnos a ser padres si esto ocurre por primera vez o a la presencia del nuevo bebé en la familia si ya no es así.
- Tan pronto como este proceso se ha puesto en marcha, lo cual habitualmente ocurre a partir del instante en que nuestro bebé ha cumplido un mes, comenzará a dormir durante todo el espacio nocturno básico. Tal circunstancia es resultado de una combinación entre la maduración de los sistemas digestivo y nervioso del bebé y una reducción del nivel de ansiedad presente tanto en él como en los padres.
- El espacio nocturno básico viene a ser una especie de línea divisoria. Después de que haya hecho su aparición, nuestro bebé avanzará rápidamente hacia la situación que le llevará a dormir toda la noche, si concurren las condiciones adecuadas, y siempre que se suspenda la alimentación durante dicho periodo. Al cumplir los tres meses son muchos los bebés que son capaces de dormir a lo largo de diez o doce horas ininterrumpidamente por la noche.
- Su nueva capacidad para dormir durante prolongados espacios de tiempo por la noche pone de manifiesto que nuestro bebé ha comenzado a adaptarse a nuestros ritmos por lo que al dormir nocturno se refiere y al comer durante el día.
- Éste es un buen momento para introducir una rutina por lo que concierne al dormir, consolidar la diferencia existente entre el día y la noche y comenzar a cultivar el hábito de irse a la cama. Es posible que hasta ahora esto último no se haya hecho en debida forma, pero es preciso que así se efectúe a partir de este instante.

La hora de irse a la cama

Pongamos a nuestro bebé en la cama. Es posible que parezca algo obvio, pero lo cierto es que no siempre se realiza del modo apropiado. Los bebés a los que se permite estar levantados hasta que se encuentran agotados y debido a ello se quedan dormidos dondequiera que estén, no pueden desarrollar unos buenos hábitos por lo que a dormir se refiere. Es excesivo lo que se deja en sus manos. Cuando se despiertan por la noche o durante las primeras horas de la madrugada se ven obligados a decidir y a tal fin se preguntan: «¿Dónde estoy? ¿Me gusta? ¿Todavía tengo sueño? ¿Debería despertarme del todo?»

Evidentemente los bebés no se hallan en condiciones de enfrentarse con tal cúmulo de elecciones acerca de algo tan fundamental para su bienestar como es el dormir. Si se les inculca la idea tan pronto como están en situación de comenzar a comprenderla, es decir que nosotros nos vamos a la cama cuando ha llegado la hora y permanecemos en ella hasta la mañana siguiente, la vida resultará más fácil y agradable para ellos (y también para nosotros) que en el caso de que se les deje decidir por su cuenta a medida que van creciendo.

Si permitimos que un bebé decida por sí mismo el cuándo y el cómo necesita dormir no debemos sorpendernos si el resultado se traduce en un gran embrollo para él. Es una responsabilidad que no desea y es más de lo que está en condiciones de manejar y el resultado final es que crea ansiedad y confusión en su mente. Necesita que le aseguremos que nosotros estamos al cuidado de todo y ello hará que se sienta perfectamente. De este modo quedará liberado para proseguir con lo que cabe considerar su actividad propia, es decir, crecer y aprender, y en ambos aspectos el dormir juega un importante papel.

¿Dónde debe dormir nuestro bebé?

Los beneficios que de dormir en la misma habitación que sus padres se derivan para un pequeño bebé ya han sido objeto de mención anteriormente. Algunos padres optan por tenerlo en su propia cama y a este respecto cabe señalar que existe una corriente de opinión que asegura que esto es lo mejor para él. Es cierto que puede contribuir a tranquilizar a un recién nacido de talante inquieto y permitirle desarrollar una transición más gradual desde su presencia en el útero materno a su nueva, separada y cada vez más independiente existencia.

El punto de vista de Lucy es que un bebé está mucho mejor en un espacio propio desde el principio. De acuerdo con su experiencia, tanto los bebés como sus padres duermen mejor cada uno en su correspondiente cama pues si está junto a nosotros cabe muy bien que se despierte con mayor frecuencia y que nuestra presencia le incite a pedir un alimento que realmente no necesita. Es de todo punto obvio que esto puede interferir en el desarrollo de sus propios ciclos regulares por lo que hace referencia al dormir. Por otra parte tenemos que los movimientos de nuestro bebé pueden despertarnos a nosotros mientras él permanece dormido y lo cierto es que nosotros necesitamos dormir tanto como él.

Un buen compromiso en esta cuestión es instalar la cuna o el capazo de nuestro bebé al lado de nuestra cama al objeto de que podamos acariciarlo, hablarle y cogerlo en brazos sin necesidad de levantarnos. De este modo resulta fácil abrazarlo amorosamente cuando precisa de un contacto físico pero sin que ello impida dejar que vaya aprendiendo que cuenta con su propio espacio para dormir.

Cuando nuestro bebé haya alcanzado los dos meses de edad y por tanto esté más estabilizado y «cohesionado» podemos colocar su cuna en un punto un poco más alejado, como por ejemplo al pie de nuestra cama o al lado opuesto de la habitación. Este traslado vendrá a alentar la capacidad creciente de nuestro bebé para valerse por sí mismo. Y lo mismo podemos decir si lo instalamos en una habitación propia o junto a otros niños, medida que dependerá de nuestras circunstancias así como de nuestras preferencias. Sea como fuere es permaneciendo en nuestra habitación durante los primeros tres meses que nuestro bebé consigue los mayores beneficios.

Llega finalmente un día (que con frecuencia se puede situar en torno al final del primer año) en que si todavía compartimos habitación, nosotros y nuestro bebé comenzamos a despertarnos mutuamente. Su sueño se verá perturbado por nuestra entrada y por los movimientos que hagamos mientras dormimos, y nosotros es posible que nos despertemos también por los suyos y por cualquier ruido que haga. Además es mucho más probable que solicite nuestra atención si se despierta, aun cuando sólo sea a medias precisamente debido a que nos hallamos presentes, visibles y disponibles. En esta etapa el dormir en nuestra habitación le resulta estimulante antes que tranquilizador y tanto él como nosotros dormiremos bastante mejor si podemos trasladarlo a otro punto.

La hora del baño

La rutina al llegar al anochecer comienza con un baño. Si éste se ha venido llevando a cabo por la mañana como siendo un comienzo refrescante después de una noche azarosa, ahora es el momento de transferirlo al final del día. Un baño caliente es relajante y actúa a guisa de señal de que la hora de irse a la cama ya no está lejos.

Una de las formas más agradables y fáciles de bañar un pequeño bebé es hacerlo juntamente con nosotros. Percibe que se le sostiene de un modo seguro y esto le ayuda a relajarse. Además de mantenerlo apoyado contra nuestro pecho probemos también a colocarlo sobre su espalda con una mano debajo de su cabeza y la otra debajo de sus glúteos. Con esta medida lo estimulamos a que se distienda y ejercite sus miembros. Dentro de una bañera existe agua en abundancia necesaria para servir de soporte a sus movimientos. Procede considerar asimismo que no se somete a tensión nuestra espalda y por consiguiente nos encontramos más relajados, lo cual significa que nuestro bebé también lo estará.

Los bebés muy pequeños son algo escurridizos y por tal motivo es mejor que alguien preste ayuda. Idealmente uno debe meterse en el baño y el otro quitar la ropa al bebé y dárnoslo para después volver a cogerlo y secarlo. Para un padre que acabe de llegar a casa de vuelta del trabajo, ésta puede ser una forma inmediata, afectuosa e íntima de involucrarse en la jornada del bebé.

El masaje del bebé

Tras el baño llega el momento de aplicar un masaje infantil, el cual resulta especialmente útil para reforzar nuestra confianza si algunas veces nos sentimos algo desasosegados al tener que manejar el bebé. Algunos, de talante algo nervioso, se relajan al percibir un contacto en su piel llevado a cabo de forma distendida y deliberada. Existe evidencia asimismo de que esta clase de contacto entre una y otra piel puede contribuir a reforzar el sistema inmunológico.

Para aplicar el masaje necesitamos contar con una habitación en la que predomine una temperatura templada, debiendo concurrir asimismo esta circunstancia en nuestras manos y en nuestro bebé. Comencemos por relajar nuestros propios hombros y brazos y apliquemos a las palmas de las manos algún aceite (de oliva, vegetal, infantil o de almendras). Después friccionemos nuestro bebé con suavidad, comenzando por la parte superior de la cabeza. Descendamos acto seguido por sus miembros con inclusión de las manos y los pies. Finalicemos por último en su barriga con movimientos rotatorios en el sentido de las manecillas de un reloj y en la dirección de su sistema digestivo.

Prendas de vestir nocturnas

Pongamos ahora a nuestro bebé sus prendas de vestir nocturnas. Hasta llegar a este punto tal hecho no ha tenido mucha relevancia. Los bebés recién nacidos pueden necesitar varios cambios o ninguno en absoluto a lo largo de 24 horas pero al llegar a la edad de dos meses aproximadamente es probable que salgan al exterior y sean llevados de un lado a otro con mayor frecuencia y además pasen algún tiempo en el suelo, lo cual supondrá que van a necesitar algo más que un pijama o un camisón durante el día. Las prendas de vestir nocturnas cómodas y suaves al tacto producen efectos calmantes.

Momentos de tranquilidad

Instalémonos para proporcionar al bebé su alimento en un ambiente especialmente íntimo y tranquilo. Convirtamos este momento en un espacio de tiempo exclusivo para él si ello está a nuestro alcance. Debe tenerse en cuenta que los bebés se adaptan a todo y que el ruido de carácter múltiple generado por la vida familiar no parece molestarles. Sin embargo, esforcémonos para conseguir un tiempo nuestro para proporcionar a nuestro bebé la oportunidad de relajarse junto a nosotros antes de irse a la cama.

Éste es además el tiempo que nosotros y él podamos pasar juntos cuando sea algo mayor y hablar de cuanto le ha ocurrido a lo largo del día. A dicha edad seguimos transmitiéndole el mismo mensaje tranquilizador al permanecer física y emocionalmente cerca. Dormir bien, para nuestro bebé, significa separación sin sentir preocupación alguna. Con nuestro proceder conseguiremos que experimente el sentimiento de sentirse amado y objeto de cuidados y ello le permitirá incorporarlo a su sueño.

Esforcémonos en mantenernos tranquilos y relajados. Sin embargo, esto resulta más fácil de decir que de hacer. El momento en que un bebé debe irse a la cama siguiendo la rutina establecida coincide con momentos de gran actividad en la mayoría de hogares, ya que algunos de sus miembros vuelven a casa, precisa preparar la cena, hay otros niños que necesitan atención, el teléfono suena. En resumen, son muchas las cosas que contribuyen a distraernos a nosotros y también a nuestro bebé.

Resulta frecuente el que los bebés se muestren inquietos en este momento del día, precisamente cuando consideramos que deberían estar más relajados. Lo cierto es que están cansados, algunas veces «quemados» y sobreestimulados, ocurriendo asimismo que en determinadas ocasiones se ven ignorados y experimentan aburrimiento. También es posible que acontezca que el nuestro se ponga a llorar si nosotros nos sentimos inquietos. Debe tenerse en cuenta que representamos su seguridad y que debido a tal circunstancia cuando percibe que anida en nosotros la preocupación o la angustia se siente amenazado. Si su inquietud nos pone tensos, olvidará la razón original que le llevaba a llorar y comenzará a quejarse hasta que esté convencido de que nosotros, y también él, estamos perfectamente.

Es posible que nos preguntemos a nosotros mismos: «No sé qué es lo que quiere» pero a ello cabe responder que lo que desea es tener a su lado unos padres relajados, divertidos y felices al objeto de que le hagan sonreír, le digan que todo va bien y que le aman y que ha llegado el momento de irse a la cama. En el mundo real, no obstante, lo que con frecuencia obtiene es unos padres cansados y preocupados que desean que se vaya a la cama al objeto de que ellos puedan ocuparse de otras cosas o simplemente disponer de un tiempo que estiman muy necesario para sí. Con todo, si nos es posible conseguir aun cuando sólo sean quince minutos de tranquilidad, le resultará más fácil a nuestro bebé irse a la cama y permanecer dormido y gracias a ello la velada será realmente nuestra.

El irse a la cama

Mostremos a nuestro bebé el lugar en que va a dormir. Esto le permitirá saber dónde se encontrará si se desvela por la noche y por tanto no experimentará sorpresa o se asustará ante un entorno inesperado. Hagamos que su capazo o cuna sea cómodo y acogedor. Puede que también decidamos mostrarle su osito de peluche o cualquier otro juguete de textura similar para inducirle gradualmente a que lo considere como «objeto confortador» que es conveniente llevarse a la cama. Debe tenerse en cuenta, sin embargo, que en esta etapa los juguetes de peluche no significan mucho para el bebé y por consiguiente deberemos limitar su número a uno o dos. Arropémoslo con firmeza.

La textura de los tejidos es importante para ciertos bebés mientras que para otros lo es el olor. Algunos muestran preferencia por las mantas de franela suaves al tacto y cálidas mientras que en otros casos la elección se orienta hacia los tejidos de algodón que se caracterizan por ser menos flexibles. Tenemos asimismo el ejemplo de bebés que parecen encontrar solaz durmiendo sobre una piel de cordero y a este respecto debemos recordar que se utilizaron por primera vez en las unidades de prematuros y que ahora es posible adquirir en el comercio. Si disponemos de una de estas pieles constituye una buena idea el que primero durmamos nosotros en ella al objeto de que incorpore nuestro olor.

Si nuestro bebé se muestra inquieto, probemos a cambiar su posición habitual de cuando duerme. Es un hecho comprobado que algunos sólo se sienten felices si se apoyan sobre su barriga. A este respecto conviene señalar, no obstante, que lo habitualmente aconsejable es evitar que los bebés duerman boca abajo y, por consiguiente, ¿qué es lo que debemos hacer si el nuestro sólo se relaja cuando se encuentra en esta postura?

- Probemos a proporcionarle la presión sobre su barriga, y la sensación de contacto, hacia la cual siente preferencia.
- Es posible que le guste estar envuelto en una manta de franela.
- Coloquémoslo acostado sobre uno de sus lados, apoyado sobre el brazo que se encuentre en la parte inferior, con la barriga en contacto con el colchón. No es recomendable acostarle boca abajo.
- Un pequeño cojín, acoplado contra su barriga mientras se encuentra acostado sobre uno de sus lados, puede algunas veces servir de ayuda.
- Existe un medio en el mercado que se compone de dos pequeños cojines unidos entre sí mediante una banda de tejido y que hace posible colocar al bebé acostado sobre uno de sus lados y mantenerlo en esta posición gracias al soporte prestado por los cojines situados uno a cada lado.

A partir del instante en que nuestro bebé esté en condiciones de dar vueltas por sí mismo no le resultará difícil encontrar su posición preferida para dormir. A algunos les gusta sentir que sus pies se hallan en contacto con la parte inferior de la cama mientras que otros se desplazan hacia arriba hasta conseguir que su cabeza se apoye contra la cabecera. Por tanto ajustémonos a lo que parezca ser la preferencia de nuestro bebé cuando lo pongamos en la cama.

Es posible que deseemos permanecer junto a él durante unos pocos minutos, quizá hablándole suavemente o cantándole alguna canción, mientras se va acomodando. Un juguete musical que emita una nana, por ejemplo, puede actuar como sustitutivo de nuestra presencia y contribuir a que nuestro bebé nos deje marchar. Otro extremo a tener en cuenta es que algunos se sienten plenamente felices en la oscuridad mientras que a otros les gusta la tenue luz de una lámpara de noche. Digámosle «buenas noches» en tono decidido y abandonemos la habitación acto seguido.

No esperemos, sin embargo, que el sistema funcione de inmediato. De hecho, algunas veces ha de transcurrir una semana aproximadamente antes de que nuestro bebé adquiera la confianza suficiente para irse a dormir sin que medie una visita tranquilizadora. Si sus protestas persisten más de unos pocos minutos, entonces volvamos de nuevo a la rutina de la acomodación y de las «buenas noches», apartándonos de su lado en el momento en que ya se haya calmado. Si se muestra muy nervioso y llora podemos tomarlo en brazos para consolarlo pero lo que en modo alguno debemos hacer es sacarlo de la habitación o actuar de modo que tenga la impresión de que el día comienza de nuevo. Lo que nos esforzamos en conseguir es que descubra que puede dormir a través de su propio esfuerzo y que no aprenderá cómo hacerlo si no cuenta con la oportunidad de intentarlo.

Tan pronto como nuestro bebé haya adquirido el hábito de meterse en la cama sin problemas en el momento previsto y dormir hasta la mañana siguiente podremos congratularnos por el éxito alcanzado. A partir de dicho instante habrá ajustado su proceder a una pauta de conducta que deberá constituir la base de unos hábitos que van a durar toda su vida por lo que a dormir se refiere. Nuestra misión, en tales casos, es procurar asegurarse de que nada vendrá a interferir el proceso.

Como parte de su crecimiento y desarrollo normales habrá momentos en que nuestro bebé se despertará por la noche y no podrá conciliar el sueño de nuevo sin contar con nuestra ayuda. También ocurrirá que en determinadas circunstancias se mostrará reacio a irse a la cama. Tales situaciones es posible que duren un par de días e incluso unas pocas semanas, pero no deben preocuparnos ya que no existe razón alguna que justifique el que estas breves interrupciones puedan desembocar en un problema que impida dormir.

Sin embargo conviene no olvidar que algunas veces un bebé se mantiene despierto durante una o dos noches por una buena razón y que la reacción que esta situación provoca puede incitarlo a seguir despertándose hasta que ello acabe convirtiéndose en un hábito. Lo mismo es cierto con relación a las protestas proferidas a la hora de irse a la cama. La clave que ha de permitir evitar esto es comprender la causa de la perturbación original al objeto de que podamos enfrentarnos a ella de modo apropiado y limitar sus efectos a un mínimo. Esta forma de permanecer despierto constituye el tema del capítulo siguiente.

Siestas diurnas

Nos hemos concentrado en el dormir nocturno por dos buenas razones. Una de ellas es la de que es altamente esencial para los padres y la otra es la de que un bebé que duerme bien por la noche se desarrolla de modo satisfactorio. Su humor y su apetito serán buenos y toda la cuestión de la alimentación y de las siestas resultará mucho más fácil. Un bebé cansado e irritable, cuyas noches plagadas de interrupciones impiden que su metabolismo se desenvuelva ajustándose a unos ritmos sanos, puede estar demasiado tenso como para gozar de su comida y sus momentos de descanso.

Ahora bien, aun cuando el dormir por la noche supone cuestión prioritaria, las siestas diurnas también son importantes ya que permiten a los padres disponer de unos periodos de descanso de los que están muy necesitados. Aparte de ello tenemos que incluso dormir durante un breve espacio de tiempo transforma a un bebé irritado y descontento en otro alegre y entusiasta. Sin siestas nuestro bebé acabará extremadamente cansado y alcanzará un punto de agotamiento elevado que coincidirá precisamente con el momento en que debería estar en condiciones de desconectarse de modo relajado para irse a la cama.

Para nosotros, la hora en que nuestro bebé debe acostarse es la fase final de un largo día dentro del hogar pero para él, el ritual de un baño y un plácido momento en que es alimentado y cariñosamente abrazado constituye un hecho de la máxima importancia ya que se trata de un espacio de tiempo que transcurre agradablemente gozando de nuestra plena y total atención. A tal fin necesita disponer todavía de algunas reservas de energía para disfrutar de él.

Algunos padres creen que las siestas diurnas harán que un bebé muestre menos predisposición a dormir por la noche. Esto, sin embargo, sólo es cierto en los que tienen más de un año, los cuales como mejor se comportan es cuando su siesta coincide con la parte central del día aproximadamente ya que si tiene lugar al caer la tarde tal circunstancia ciertamente supondrá que no tendrán sueño a la hora de irse a la cama. En cambio, para los bebés que no llegan a la edad indicada, el dormir es factor tan básico para un crecimiento y un desarrollo sanos, tanto desde un punto de vista físico como mental, que resulta casi cierto afirmar que el tiempo durante el cual duerman nunca cabrá considerarlo excesivo. Debe tenerse en cuenta que el dormir constituye un hábito y que cuanto más duermen los bebés, más lo hacen todavía.

En sus primeros días, las repetidas siestas cuidan de ellos. Un bebé recién nacido simplemente se duerme cuando tiene sueño, a menos que surja algo que se lo impida. Y cuando comience a consolidar el dormir de forma que cubra un prolongado periodo de tiempo por la noche, las siestas tenderán a adoptar una pauta natural en torno a este hecho. Un bebé que duerma bien por la noche es probable que se muestre descansado, relajado, feliz y coma bien, lo cual dará lugar a que le resulte fácil entregarse a siestas regulares durante el día.

Una regla empírica es la que sostiene que la mayoría de bebés necesitan dos siestas al día, una por la mañana y otra por la tarde, y ello hasta que hayan cumplido un año. Después, generalmente abandonan una u otra y aquella de las dos que permanece viene a situarse hacia el centro del día aproximadamente. Algunos conservan este hábito hasta el momento en que comienzan a ir a la escuela mientras que otros desisten antes de cumplir tres años o lo convierten en un momento de descanso junto a algunos libros y juguetes con los que distraerse.

Las siestas de nuestro bebé se adaptarán a su cambiante necesidad de dormir. La única cosa que puede hacer difícil el que siga fiel a un mismo instante del día es el hecho de que se despierte en horas ampliamente distintas por la mañana. Si tal circunstancia tiene lugar a las 5 de la madrugada un día y a las 8 al siguiente, será mucho lo que deberá recuperar en el primer caso pero en cambio se mantendrá totalmente despierto en el segundo. Por consiguiente, en situaciones así toda norma o pauta de conducta resulta desbaratada y suponen un buen motivo para estimular la práctica de dormir durante periodos presididos por la regularidad por la noche. Los momentos en que se duerma a lo largo del día deben ser vistos como espacios adicionales a una noche prolongada y sin interrupciones y en modo alguno como un sustitutivo de ella.

A partir del instante en que las siestas se ajustan a una pauta, su duración variará. Es posible que ocurra que un día nuestro bebé duerma durante treinta minutos mientras que al siguiente lo haga a lo largo de tres horas. Dejémosle que duerma si ello es posible. Si al final se hace preciso despertarlo para sacarlo al aire libre, procedamos de modo que crea que lo ha hecho de un modo natural. Abramos la puerta suavemente y hagamos algo a su alrededor que provoque ruidos leves. Corramos las cortinas. Cuando se despierte, saludémosle cariñosamente en tono suave. Con ello le incitamos a creer que el dormir es algo que comienza y finaliza de un modo fácil y agradable. Si con frecuencia se le despierta provocándole un sobresalto y se le saca de la cama con cierta brusquedad, es posible que desarrolle el hábito de mantenerse en alerta desde el mismo instante en que comience a abrir los ojos en lugar de permanecer soñoliento y con tendencia a volver a conciliar el sueño.

Los bebés con frecuencia duermen mejor cuando se encuentran al aire libre. Si el nuestro se halla bien abrigado, instalado en un cochecito dotado de protección contra el viento y en un punto en el que podamos verlo y oírlo, nada obsta a que sus siestas diurnas tengan lugar de este modo siempre y cuando y como es lógico no esté lloviendo. Las hojas de los árboles que se mueven encima de su cabeza parece que tienen un efecto casi hipnótico por lo que a conseguir tranquilizarlo respecta. A medida que vaya creciendo tendremos ocasión de ver cómo gorgotea y agita los brazos al despertarse, y golpea los juguetes colgados transversalmente de su cochecito. Descubrir que cuenta con recursos propios para entretenerse viene a mostrarle que no necesita solicitar nuestra presencia en el mismo momento de despertarse.

¿Cuánto tiempo necesita dormir un bebé?

Los bebés varían por lo que al tiempo que necesitan para dormir se refiere, lo cual, de hecho, es válido para todo lo demás. Los gráficos que indican cifras promedio respecto al dormir de bebés de diferentes edades solamente confirman el elevado grado de variación existente. Existe un sistema sencillo e infalible para determinar si nuestro bebé duerme lo suficiente y es el de que si lo ha hecho, al despertar se muestre feliz y contento.

Si por el contrario se despierta gimoteando e irritado a las 5 de la madrugada, tal circunstancia pone de manifiesto que se encuentra cansado. No siente la necesidad de iniciar la jornada. Lo único que hará es mantenerse amodorrado hasta el instante en que pueda gozar de una buena siesta. Volvamos pues a instalarlo en su cama como si fuese plena noche y expliquémosle que todavía no es el momento de levantarse. Aun en el caso de que remolonee y no concilie de nuevo el sueño vale la pena persistir hasta llegar a un instante que se pueda clasificar razonablemente de mañana, quizá las 6. Todo puede servir para contribuir a inducir en él la idea de que ha de permanecer en la cama hasta que llegue el momento de levantarse.

Por otra parte tenemos que si se despierta riéndose alegremente, gorgoteando y con semblante sonriente entonces y lamentablemente ya podemos estar seguros de que ha dormido bastante. Es posible que se deje convencer para que permanezca durante otra hora aproximadamente en su cuna, siempre que disponga de algo que le sirva de entretenimiento, e incluso es probable que duerma un poco más si es algo mayor. Probemos a que duerma su siesta matinal un poco más tarde pues con ello quedará totalmente separada del dormir nocturno y le incitará a consolidar éste de modo que constituya un periodo ininterrumpido más prolongado. Sea como fuere, si al despertar se muestra contento y feliz, tal circunstancia supone un indicio seguro de que ha dormido lo suficiente ya sea por la noche o durante la siesta diurna.

¿Cómo podemos determinar el momento en que nuestro bebé necesita dormir?

La misma regla resulta de aplicación en sentido inverso cuando nuestro bebé se encuentra cansado. Así tenemos que del mismo modo que podemos decir cuándo nuestro bebé ya ha dormido bastante debido a que se despierta contento y satisfecho, también podemos señalar cuándo necesita dormir y ello como consecuencia de que se muestra menos feliz. Un bebé de muy corta edad puede llorar tristemente si se halla inquieto, lo cual suena de forma totalmente distinta del vigoroso tono de voz que corresponde a los lloros provocados por el hambre. El frotarse los ojos con los puños constituye un indicio seguro de cansancio. Esto es algo que hacen los bebés de todas las edades.

Un bebé de más edad puede cambiar su conducta de un modo repentino. En un momento dado cabe que juegue feliz y al siguiente adopte una actitud hosca, evaporada su concentración y alegría, y aparte de sí con gesto irritado un juguete tras otro. Con ello produce la impresión de que se está desintegrando ante nuestros ojos, casi como si se hubiera cortocircuitado. Éste es el momento para tomarlo rápidamente en brazos y llevarlo a otro punto para permanecer juntos unos tranquilos instantes y tratar de que duerma a continuación.

Cuando se despierte feliz, mimémoslo y pongamos de manifiesto lo complacidos que estamos de verlo, diciéndole al mismo tiempo que es un ser maravilloso. Resulta fácil considerar como algo normal el dormir bien pero lo cierto es que conseguir que se transforme en un hábito requiere una considerable destreza y por tal motivo nuestro bebé merece grandes alabanzas cuando el éxito le sonríe en este aspecto.

Plan para la consecución de unos buenos hábitos y la correspondiente rutina en el dormir

- Busquemos estimular unos buenos hábitos y evitar los malos.
- Recordemos que crear un conjunto de señales coherentes que permitan a nuestro bebé saber qué es lo que debe esperar, es más importante que la hora del reloj.
- Introduzcamos una rutina por lo que al irse a la cama respecta después de que nuestro bebé haya comenzado a permanecer dormido de modo regular durante prolongados periodos nocturnos. Un buen momento para ello es cuando ha cumplido dos meses aproximadamente.
- Esforcémonos en conseguir algo de «tiempo de protección» para así poder proporcionar a nuestro bebé su alimento rodeado de un clima especialmente cálido, íntimo y tranquilo antes de meterlo en la cama. Esto despertará en él un sentimiento de saberse amado y cuidado que le acompañará en su sueño.
- Mostremos a nuestro bebé el lugar en el que va a dormir. Arropémoslo, digámosle buenas noches en tono decidido y abandonemos la habitación.
- No esperemos que este proceder actúe de inmediato. Es posible que nuestro bebé necesite tiempo para entender de modo cabal lo que de él se espera a la hora de irse a la cama. Insistamos en tranquilizarlo y hagamos que la rutina se mantenga de forma coherente.
- Mostrémonos vigilantes para descubrir en nuestro bebé cualquier indicio de cansancio y permitámosle que duerma cuando dé muestras de ello. No dejemos que se fatigue en exceso.
- Nuestro bebé ya ha dormido bastante si al despertarse lo hace con aspecto de sentirse feliz.
- Cuando nuestro bebé se despierte, alabémoslo por haber dormido bien y démosle una gran bienvenida.

8 • NOCHES BUENAS, NOCHES MALAS

¿Por qué mi bebé permanece despierto?

«Me siento altamente feliz de poder ayudarla a conciliar de nuevo el sueño cuando se siente incómoda, ya que esto sólo ocurre en raras ocasiones. Si se despertase repetidamente por la noche yo no podría pensar con claridad y acabaría hartándome de ella.»

Madre de Ana, ocho meses.

Si nuestro bebé forma parte del grupo de los que duermen bien de modo natural sin precisar de ayuda alguna desde el principio podemos perfectamente pensar que buena parte de este libro no resulta de aplicación a nuestro caso. Sin embargo, conviene tener presente que los bebés que duermen bien pueden dejar de hacerlo si surge algo que venga a perturbar este hábito. En tal caso nos será posible ayudarlo a superar la situación simplemente esforzándonos en descubrir el motivo del trastorno, reaccionando de modo apropiado y estimulándolo para que vuelva de nuevo a la que hasta entonces era su pauta usual y ello con objeto de evitar que tenga la oportunidad de hacer su aparición y afianzarse un problema susceptible de provocar alteraciones en el dormir.

Sin este enfoque, los padres de bebés que usualmente duermen bien pueden experimentar un gran desasosiego como resultado de la aparición de una serie repentina de noches caracterizadas por múltiples interrupciones. Si nuestro bebé nunca ha experimentado problema alguno por lo que al dormir nocturno respecta, es posible que nos sintamos desconcertados si de repente ocurre que se despierta con frecuencia. Si nos preguntamos: «¿Qué es lo que está sucediendo?» nuestro estado de incertidumbre se transmite de inmediato a nuestro bebé y con ello se le hace más difícil recuperar de nuevo el sosiego necesario para volver a dormirse.

Cómo se desarrollan los problemas que impiden dormir

Los problemas que obstaculizan el poder dormir pueden hacer su aparición a cualquier edad. Se materializan cuando el despertarse, por cualquier motivo, deriva y se transforma en una práctica habitual que se aparta de lo que hasta entonces constituía el hábito. También surgen cuando un hecho que provoca el que un bebé se despierte no recibe la atención debida y como consecuencia de tal circunstancia se mantiene de un modo persistente y con su perturbación impide que pueda dormir adecuadamente.

Un problema del tipo indicado también puede afectarnos directamente a nosotros. La primera noche en que nuestro bebé permanece despierto es probable que lo achaquemos a un resfriado o a una pesadilla, pero antes de que nos demos cuenta nos encontramos con que dicha situación ya se ha venido repitiendo todas las noches desde hace siete días. Al iniciar la segunda semana comenzamos a preguntarnos qué es lo que da lugar a que nuestro bebé no duerma y transcurrido un mes lo que acontece es que ya ha desarrollado un hábito que le lleva a rechazar el dormirse y el problema que esta situación implica ya se encuentra bien asentado. Éste es el motivo por el cual encierra tanta importancia estar vigilante para descubrir a tiempo cualquier causa que lleve a estar desvelado y de este modo poder identificarla sin demora y abortar de inmediato cualquier problema.

Como parte del crecimiento y desarrollo normales, todo bebé pasa por etapas en las que se despierta por la noche y llora y también por momentos en los que se resiste a ir a la cama a la hora prevista. Cuando esto ocurra no debemos asustarnos ya que no significa que estemos a punto de perder todo lo que hemos ganado. Estas perturbaciones no deben durar más de una semana o dos como máximo y, con nuestra ayuda, no supondrán un perjuicio para la generalmente bien asentada pauta a que se ajusta nuestro bebé por lo que al dormir respecta. La clave está en no desviarse de la norma usualmente aplicada al llegar la noche pero sin que ello obste atender las necesidades específicas de nuestro bebé. Unos momentos de vigilia no cambian la regla básica según la cual el espacio nocturno es para dormir.

Base para un sueño profundo

Es enormemente más fácil si nuestro bebé duerme generalmente bien. Si el trastorno se presenta como una marcada desviación de una pauta caracterizada por un sueño generalmente profundo, el problema se pone de manifiesto de forma inmediata, lo cual hace posible el que podamos ocuparnos de él lo más pronto posible. Asimismo tenemos que da lugar a que nuestro bebé se muestre tan interesado como nosotros en encontrarle solución. De hecho se sentirá molesto por despertarse repetidamente y querrá volver cuanto antes a lo que considera una situación normal con la que ya se halla familiarizado. Y esto, para él, significa dormir toda la noche.

Si nuestro bebé nunca ha dormido bien durante el espacio nocturno, también sufrirá la perturbación que se deriva de circunstancias normales, como por ejemplo la dentición. Pero en este caso resulta mucho más difícil identificar la causa de su desasosiego cuando ésta viene a añadirse a una pauta, por lo que a dormir respecta, caracterizada por múltiples interrupciones. Y si nosotros también sufrimos de fatiga crónica, el pensar de forma clara y el disponer de la necesaria paciencia para poder determinar de un modo preciso el problema constituyen factores de ayuda que más bien nos faltan.

Toda la cuestión del dormir puede transformarse en una imagen desdibujada en la que concurra un estado de perplejidad y agotamiento así como todo un enredijo de malos hábitos y nuevos problemas que resulta imposible desenmarañar. No debe sorprender el que muchos padres se rindan y decidan esperar a que su bebé acabe superándolo. El problema consiste, sin embargo, en que puede ocurrir que esta circunstancia no se dé. Si bien es cierto que las causas que propician el despertarse pueden desaparecer por sí solas, también lo es que los *hábitos* que conducen a dormir mal pueden adquirir un carácter persistente. La mitad de todos los bebés que sufren un problema en cuanto al dormir cuando tienen un año todavía siguen con él al llegar a los tres.

Este capítulo sugiere de qué modo conviene proceder para determinar lo que provoca el que nuestro bebé se mantenga despierto y cómo llegar a una solución apropiada para él. Primero consideraremos las causas que dan lugar a las perturbaciones nocturnas y después al método para conseguir su eliminación.

Por qué este enfoque funciona

Este método nos permite seguir impulsando la comunicación con nuestro bebé mientras él se ve sometido a una etapa difícil y por tanto la necesita en grado máximo. Evita aplicar una solución de carácter generalizado a todos los bebés que se mantienen insomnes y que descuida diferencias tan vitales como la edad, el temperamento y las circunstancias familiares.

Aun cuando los programas que buscan propiciar el dormir incluyen una «receta» que si la seguimos hará posible curar ciertos hábitos, la verdad es que no hacen nada para ayudarnos a nosotros y a nuestro bebé para aprender a sortear los obstáculos que plantea la vida y asimismo para conocernos mejor mientras lo realizamos. Asimismo tenemos que no contribuyen a que entendamos los problemas subyacentes que son causa de que el bebé se mantenga insomne. Si de algo sirven es para sembrar las semillas de la conflictividad y del resentimiento ya que implican contraponer nuestra voluntad a la del bebé. Es de todo punto obvio que en cualquier batalla de voluntades y por propia naturaleza de las cosas nosotros ciertamente siempre saldremos vencedores pero es preciso no olvidar que el dormir no constituye un ruedo apropiado para librar batallas.

Despertándose y llorando es como nuestro bebé nos informa de algo que le impide dormir bien. Lo que necesita es que sus lloros sean oídos y además comprendidos. El solo hecho de sentirse comprendido supondrá una diferencia acerca de cuán seguro y relajado se siente y, por consiguiente, lo ayudará a dormirse.

Comprender al bebé también establece una diferencia con relación a la forma en que se produce nuestra reacción. Algunas veces simplemente significará recordarle que ya es de noche y por tanto necesita irse a dormir. En otros momentos necesitará confortación o una atención adicional a lo largo del día. Por otra parte tenemos que si está enojado, cabe que se enfurezca por nuestros esfuerzos encaminados a darle consuelo y en tal caso lo mejor será dejar que exprese sus sentimientos sin intervención alguna por parte nuestra.

¿Por qué se mantiene despierto mi bebé?

El primer paso es tratar de esclarecer la razón por la cual nuestro bebé se ha despertado o no consigue conciliar el sueño.

- Escuchemos el lloro de nuestro bebé y observemos cómo se comporta. Esforcémonos para determinar cómo se siente. ¿Cansado? ¿Abatido? ¿Intranquilo? ¿Enojado? ¿Asustado?
- Prestemos atención a su reacción al acercarnos a él. ¿Da muestras de sentirse inmediatamente consolado al vernos? ¿Manifiesta deseos de querer algo de nosotros (alimento o juego)? ¿Le resulta nuestro aspecto indiferente o parece provocar en él unos lloros más fuertes?
- Pensemos en lo que vaya ocurriendo a lo largo del día. ¿Se han producido cambios en la vida de nuestro bebé? Es posible que se desenvuelva sin problemas durante toda la jornada pero algo que le está molestando puede hacer su aparición en el momento crítico en que va a separarse de sus padres para irse a la cama o bien impedirle permanecer dormido.
- Consideremos con atención su rutina. ¿Es feliz durante el día? ¿Parece estar bien adaptado por lo que a la alimentación y al dormir respecta? ¿Goza en grado suficiente del aire libre y del ejercicio?
- Consideremos lo que ocurre en nuestra propia vida. Si nos sentimos deprimidos, preocupados o desdichados, esto puede perturbar el sueño de nuestro bebé. Es posible que no podamos cambiar nuestras circunstancias, pero sí la forma en que se ve afectado nuestro bebé.
- Consideremos la perturbación como algo temporal, algo que nosotros y nuestro bebé podemos resolver de modo conjunto. No nos culpabilicemos a nosotros mismos ni tampoco a nuestro bebé.

Son tres las cosas que pueden provocar periodos insomnes en virtualmente todos los bebés, independientemente de cuán asentada esté su pauta usual en cuanto al dormir. Son la dentición, los cambios destacados de carácter puntual en el desarrollo y la ansiedad.

La dentición

La dentición, lo mismo que los cólicos (que son objeto de consideración en el capítulo siguiente), resulta difícil de tratar. Algunas personas creen que ambas indisposiciones son apenas algo más que unas explicaciones convenientes de un comportamiento que es posible que reconozca en su origen unas causas más complejas. Es un hecho cierto que la dentición no enferma a los bebés. Por otra parte tenemos que existe una gama definida de síntomas específicos que se hallan asociados con la dentición, algunos de los cuales pueden provocar un malestar lo suficientemente fuerte como para provocar el que el bebé se despierte por la noche.

El primer diente con frecuencia da lugar a malestar y lo mismo ocurre con los molares. En algún momento comprendido entre los cuatro y los ocho meses de edad nuestro bebé puede despertarse por la noche y comenzar a llorar. Es posible que rehúse comer, sufra un ataque de diarrea, experimente calentura y se muestre incómodo debido a tal circunstancia, tenga las mejillas enrojecidas, babee, se lleve el puño a la boca de un modo constante o manifieste inquietud y abatimiento. Todo ello puede reconocer como causa directa la dentición y es posible que haga su aparición de modo intermitente durante los dos primeros años.

Los síntomas no es necesario que se vean seguidos de inmediato por la aparición de un diente ya que es el proceso de desarrollo de éste mientras recorre el camino que ha de llevarlo a emerger el que provoca las molestias. De hecho, su aparición a través de la encía es posible que se produzca de modo totalmente inadvertido. Sea como fuere, la dentición en general, acompañada por uno o más de los síntomas antes descritos, constituye una causa clásica de perturbación del dormir en los bebés de edad inferior a los dos años.

No es mucho lo que podemos hacer para ayudar a dormir a un bebé que se encuentra en época de dentición, salvo ofrecerle nuestro apoyo y comprensión. Existen en el mercado productos diversos para aliviar la inflamación de las encías y entre ellos citaremos los gránulos de camomila, un remedio homeopático de efectos calmantes. Si nuestro bebé tiene fiebre podemos optar por darle paracetamol infantil para reducir su temperatura.

Cambios destacados en el proceso de desarrollo

También harán su aparición perturbaciones en el dormir de nuestro bebé a medida que avance a través de las diversas etapas de su desarrollo. Los cambios que podemos esperar generalmente se producen alrededor de las edades siguientes y con frecuencia se ven acompañados por alteraciones específicas en el comportamiento:

- **Seis semanas**: Un marcado desarrollo en el sistema nervioso central así como variaciones en la actividad cerebral. Los lloros inexplicables puede que estén relacionados con ello. Nuestro bebé comienza a poder mantener levantada la cabeza y el control sobre su cuerpo se inicia a partir del extremo superior. Su nueva capacidad para intercambiar sonrisas supone un elevado nivel de interacción social. Permanecerá despierto durante periodos más prolongados para gozar de la nueva situación.
- **Tres meses:** Consolidación de la madurez en los procesos cerebrales, lo cual puede ser causa de otra fase de lloros inexplicables. Ahora se halla en condiciones de controlar sus hombros y jugar con las manos, utilizándolas para la exploración de personas y objetos. Fija su mirada en los juguetes y se complace accidentalmente haciéndolos mover o sonar. Absorbe niveles masivos de información de su entorno. El momento de despertarse incluye también ahora unos periodos definidos para el juego.

- **Seis meses:** Nuestro bebé comenzará a tomar alimentos sólidos y a permanecer sentado. Es posible que adquiera movilidad gateando por el suelo con objeto de llegar hasta objetos que despiertan su deseo. Este cambio es, por regla general, positivo y apasionante pero las nuevas capacidades es posible que provoquen cierto grado de ansiedad. También es habitualmente el momento en que hacen su aparición las molestias de la dentición.
- **Nueve meses:** Un momento destacado. Es a esta edad aproximadamente que nuestro bebé desarrolla la capacidad de permanecer despierto a voluntad, por cuyo motivo las perturbaciones en el dormir es posible que resulten más molestas ya que ahora le es posible mantenerse despierto aun en el caso de que esté agotado. El comenzar a gatear puede ser un hito importante que lo ayude a dormir mejor después de la frustración impuesta por la inmovilidad o también angustiarlo si se sitúa fuera del campo de visión de sus padres. La enorme expansión de la comprensión de sí mismo como individuo separado puede dar lugar a que un bebé normalmente dócil y conformista se transforme en otro repentinamente acongojado, terco y desconfiado respecto a los desconocidos. La separación a la hora de irse a la cama puede constituir un problema en esta etapa.
- **Cercano a un año:** Su fuerza de voluntad adquiere mayor vigor mientras se prepara para afianzar su independencia, lo cual viene a constituir el mayor esfuerzo en el momento en que comienza a dar sus primeros pasos. Esto puede conducir a fuertes protestas a la hora de irse a la cama. Está descubriendo sus pies. La recién adquirida capacidad de poder andar es posible que resuelva felizmente un periodo de frustración. Algunas veces, sin embargo, su creciente independencia le causa preocupación y en tal caso hará su aparición un estado de ansiedad en la conducta que manifestará cuando deba dormir.

Supone una ayuda mostrarse vigilante respecto a todos estos cambios en el desarrollo de nuestro bebé. De este modo estaremos más preparados para enfrentarnos a momentos en que se mantenga despierto y por tanto en mejores condiciones para entender la situación y tranquilizarlo de manera que le sirva de ayuda para volver a conciliar el sueño lo más pronto posible de acuerdo con su pauta normal.

Ansiedad

La ansiedad no es un término que de un modo natural asociemos con los bebés, cuyas vidas parecen estar exentas de preocupaciones en comparación con las nuestras. No obstante, el alud de nueva información que se ven obligados a asimilar de un modo continuado, el flujo constante de nuevas experiencias y el conflicto que supone depender completamente de nosotros mientras van adquiriendo la percepción de sí mismos como individuos separados, son todos ellos factores que al reunirse dan lugar a un estrés considerable.

Los bebés se hallan adaptados a esta empinada curva de aprendizaje y por regla general superan la prueba con éxito. No obstante, algunas veces ocurre que un hecho importante o un cambio acentuado en sus vidas, e incluso una alteración en el estado de ánimo de uno de sus progenitores, puede desequilibrar la situación y traducirse en un nivel de estrés muy elevado. Es muy probable que en tales circunstancias su dormir experimente una perturbación ya que necesitan sentirse seguros y protegidos si han de separarse de sus padres y permanecer dormidos durante toda la noche.

Hemos considerado la gama de nuevos factores de ansiedad que van aparejados con el desarrollo de la independencia y de las diversas capacidades de nuestro bebé. Podemos decir que el estrés que de los mismos se deriva tiene su origen dentro de él mientras que el que ahora estamos considerando proviene del ámbito externo.

A continuación se hace mención de algunos ejemplos típicos de la clase de hechos que pueden provocar perturbación en el dormir, pero posiblemente a nosotros nos será posible añadir muchos otros pertinentes a nuestras propias circunstancias familiares. Vale la pena recordar que la perturbación no tiene por qué estar directamente vinculada con el hecho en sí. Algunas veces ocurre que nuestro bebé parece experimentar un gran cambio en su proceso de avance. Después, quizás inducido por sus sentimientos al pensar en lo ocurrido, cabe que reaccione al cabo de una o dos semanas con un periodo de alteración en lo que al dormir se refiere.

- Trasladar su cama, quizá desde la habitación de sus padres a otra para él solo.
- Cambiar de casa.
- Una alteración en los cuidados prestados hasta entonces.
- Una variación en su rutina.
- Comenzar a recibir comida sólida.
- Cesar en dar el pecho o el biberón.
- Regreso de la madre al trabajo.
- Nacimiento de un hermano.
- Padres preocupados por algo acaecido en sus propias vidas.
- Viajes.
- También las experiencias excitantes, como las fiestas de Navidad o un día en el zoológico, pueden estimular en exceso a nuestro bebé y hacer que no duerma tan bien.

Cómo hacer frente a malas noches

Nuestra reacción variará, como es natural, de acuerdo con la clase de perturbación puesta de manifiesto por nuestro bebé y lo que creamos que es la causa. Habrá momentos en los que no habrá nada que podamos hacer para cambiar las cosas y en que nuestro bebé simplemente necesitará tiempo. Cuando esto ocurra no debemos considerar que nos es imposible prestar ayuda. Simplemente poner de manifiesto que comprendemos sus sentimientos y las razones que los impulsan supone una gran diferencia respecto al nivel de confianza y a la sensación de seguridad de nuestro bebé y de este modo lo ayudaremos a recobrar una pauta apropiada por lo que a dormir respecta.

Tranquilización

Podemos decirle, por ejemplo: «Sé que estás trastornado debido a que nos hemos mudado a una nueva casa y todo te parece diferente y extraño pero no te preocupes, yo estoy aquí para cuidar de ti, estás completamente seguro y todo va perfectamente. Ahora es de noche y es el momento de irse a dormir.»

Es posible que debamos repetir esta rutina varias veces por la noche a lo largo de una semana aproximadamente hasta que nuestro bebé se haya habituado a su entorno y tranquilizado. Puede que sólo se precise de una o dos noches. Sea como fuere es posible que parezca algo tedioso y frustrante, pero el hecho de que repitamos de forma constante el mensaje y que nuestra conducta aparezca coherente en un mundo cambiante, es suficiente para tranquilizar a nuestro bebé y lo ayuda a dormir.

Lo mismo resulta de aplicación cuando algo va mal en nuestra propia vida y que quizá nos trastorna, nos deprime o nos inquieta de un modo inusual. El tener una clara percepción de nuestros propios sentimientos nos ayudará a controlarlos y hará menos probable el que nuestro bebé sufra perturbación.

Nuestro bebé se mostrará menos preocupado por la expresión de sentimientos (llorar o un griterío circunstancial son hechos que, después de todo, se sitúan dentro de su propio ámbito de experiencia) que por la existencia de tensiones soterradas que afecten nuestra relación con él. La tensión tiene su origen en sentimientos que no han sido reconocidos o expresados y puede constituir un gran alivio para nuestro bebé, así como para nosotros, el que el ambiente se clarifique.

Si nuestro bebé parece experimentar dificultades cuando nosotros tenemos problemas propios, puede resultar de ayuda esforzarnos en convencerlo de que todo marcha bien. No debemos imaginar que no se da cuenta de aquello que se encuentra fuera de lugar. Conviene tener presente que nosotros somos su seguridad y que se sentirá inquieto si percibe que existe un conflicto en nosotros.

Respuestas diurnas

Algunas veces existen medidas más específicas que podemos adoptar, pero para ello es preciso recurrir primero a una consideración previa de carácter lateral para encontrarlas. Es muy fácil caer en la práctica de sistemas en el trato con nuestro bebé que vienen a empeorar el problema. Así tenemos que podemos pensar, por ejemplo: «Probablemente se despierta por la noche para verme ya que me he ido a trabajar y considera que no permanezco suficiente tiempo a su lado. Pero sea como fuere he de ir a trabajar. Por consiguiente, trataré de compensarlo prestándole mucha atención cuando se despierte por la noche». Aun cuando con lo indicado estamos reconociendo la causa del problema y hacemos lo que podemos para atender las necesidades de nuestro bebé, también es cierto que le enviamos algunos mensajes confusos. Prestándole mucha atención por la noche no hacemos más que reforzar su sentimiento de que no puede permanecer dormido hasta la mañana siguiente. Y tampoco hará suya la idea de que el espacio nocturno es para dormir.

Nosotros debemos ir a trabajar y preferiríamos que nuestro bebé durmiese durante toda la noche. Por tanto ¿qué es lo que podemos hacer? Pues bien, dado que hemos conseguido identificar la causa de que se despierte, también podemos encontrar la solución. Si tenemos la impresión de que nuestro bebé se despierta porque necesita que estemos junto a él durante más tiempo, nada obsta a que se lo concedamos pero de ningún modo a mitad de la noche. Quizá nos resulte posible dedicarle una atención plena durante una hora más o menos antes de que se vaya a la cama y si es así con ello conseguiremos que se duerma sintiéndose amado y en estrecho contacto con nosotros. También podemos levantarnos un poco más temprano por la mañana para pasar unos momentos relajados junto a él antes de que debamos irnos a trabajar. Aun cuando lo que podamos hacer no nos parezca mucho, es posible que revista gran importancia para nuestro bebé. Simplemente comprendiendo qué es lo que pide estaremos en condiciones de tratarlo de forma que reconozcamos sus necesidades sin que por ello resulte preciso iniciar en él un hábito de despertarse por la noche para asegurarse de que estamos presentes.

El destete

El destete no provoca problema alguno cuando no hacemos más que ajustarnos a la iniciativa de nuestro bebé, lo cual supone que comenzará a tomar comida sólida cuando nos diga que ya se halla preparado para hacerlo y abandonará el pecho o el biberón en el momento en que ya no los necesite. Si volvemos de nuevo a nuestro trabajo habitual cuando nuestro bebé todavía toma el pecho, adoptemos una actitud positiva al respecto y no lamentemos perdernos la comida del mediodía en la cual ya no nos es posible estar presentes. Gocemos en cambio de una o dos comidas realizadas en íntimo contacto al anochecer así como de otra a primera hora de la mañana, pero bajo ningún concepto deberemos darle una a mitad de la noche a partir del instante en que ha puesto de manifiesto que es capaz de dormir de modo ininterrumpido durante el espacio nocturno (véase el capítulo 6). Dejemos que concilie el sueño satisfecho y deseoso de volver a establecer contacto con nosotros, fresco y descansado, por la mañana.

Relajación

Aun cuando hayamos tenido un día muy movido, esforcémonos en dar a nuestro bebé la oportunidad de sosegarse y relajarse antes de dormirse. Constituye una tentación el tratar de llevarlo a la cama rápidamente cuando llegamos tarde a casa después de todo un día de ausencia, pero seguir al pie de la letra la rutina habitual contribuirá a apaciguarlo y a inducirlo a que duerma.

Instalemos a nuestro bebé, si ya tiene edad para ello, en su silla infantil aun cuando sólo sea para que se coma parte de un plátano. No tratemos de abreviar el tiempo del baño y recordemos que incluso tratándose de un bebé de corta edad podemos hablar con él de las diversas cosas acaecidas durante el día y ello quizá mientras hojeamos un libro ilustrado. Es mejor para él irse a la cama media hora más tarde de lo habitual que meterlo en ella de modo precipitado cuando todavía sufre excitación y fatiga.

Fórmula para enfrentarse con éxito a una noche con múltiples interrupciones

Aun cuando diferentes causas de ansiedad responden a distintas soluciones, como mejor se aplican es cuando nuestro bebé se encuentra totalmente despierto, con especial hincapié en el momento en que se halla sometido a la rutina del anochecer y quizás al abrir los ojos por la mañana. Los bebés requieren mucha atención y a este respecto procede destacar que reaccionan bien cuando la reciben en grado suficiente y al parecer protestan cuando no se da esta circunstancia.

La fórmula para salir airoso del problema que supone una noche plagada de interrupciones es básicamente la misma que se utiliza para establecer unas buenas pautas por lo que al dormir respecta:

- Escuchemos en primer lugar el lloro de nuestro bebé y esforcémonos para determinar cómo se siente. Un lloro que trasluce cansancio significa que nuestro bebé probablemente volverá a dormirse sin ayuda alguna. En cambio, un lloro en el que se aprecia angustia requiere una visita tranquilizadora.
- A menos que el lloro suene como provocado por una angustia muy acentuada, deberemos darle al bebé una oportunidad para que concilie el sueño de nuevo por sí mismo. Conviene tener bien presente que es posible que esté medio dormido y que nuestra llegada lo despierte plenamente.
- Cuando acudamos a su lado, procuremos mantener la perturbación que ello supone a un mínimo. Hablemos con suavidad y mantengamos las luces o bien apagadas o con una intensidad baja. No lo tomemos en brazos más que en el caso de que no consiga apaciguarse acariciándolo y dirigiéndole palabras de consuelo. Y sobre todo no lo saquemos de la habitación ya que tal acción provocaría mayor confusión en él si ocurre algo inesperado.
- Hagamos que se convenza de que nos hallamos presentes, que es amado y que todo marcha bien. Recordémosle que es de noche y por tanto momento de dormir.
- No le demos de comer a partir del instante en que ya ha sido eliminada esta práctica por lo que al espacio nocturno se refiere. Si da muestras de querer algo, démosle un poco de agua.

- Repitamos todo este proceso hasta que sea capaz de acomodarse y conciliar el sueño.

Protestas a la hora de irse a la cama

Las protestas a la hora de irse a la cama tienen carácter universal y podemos estar seguros de que nosotros deberemos enfrentarnos a ellas por lo menos alguna vez. Lo que resulta imposible de predecir es cuándo tendrán lugar.

La hora de irse a la cama puede ser el momento que nuestro bebé elija para expresar una ansiedad y un malestar que han estado bajo control durante el día. El separarse de nosotros durante la noche supone quedar inmerso en un periodo de tiempo durante el cual se ve a sí mismo especialmente vulnerable y es por esta razón que las protestas más fuertes a la hora de irse a la cama, a menudo coinciden con un cambio destacado en el proceso de desarrollo y tal circunstancia se da alrededor de los nueve meses en que nuestro bebé cuenta con una percepción muy acentuada respecto a la posibilidad de verse separado de nosotros.

Todo lo que hemos dicho acerca de encontrar la causa de las perturbaciones nocturnas y la forma de enfrentarse a ellas también resulta de aplicación a las protestas a la hora de irse a la cama. Sin embargo conviene destacar que existe una diferencia importante.

Un bebé que se despierta por la noche no lo decide de forma consciente. En cierto sentido, lo que ocurre es que no puede evitarlo; algo le ha despertado o le impide volver a conciliar el sueño después de que haya aflorado de forma natural dentro del ciclo que determina su dormir. No obstante conviene tener bien presente que al alcanzar los nueve meses de edad nuestro bebé ya se halla capacitado para evitar caer dormido, utilizando con este fin su fuerza de voluntad. Incluso en el caso de que esté totalmente exhausto, puede rehusar el irse a dormir y utilizar esta nueva capacidad para ponernos a prueba hasta el límite. Lo que realmente está tratando de averiguar es si en el momento en que decimos que es hora de irse a la cama es realmente así o bien si él puede cambiar las reglas.

Por regla general el mensaje que necesita oír es que nada ha cambiado. Ir a la cama todavía significa esto, nosotros seguimos ejerciendo el control y el espacio nocturno aún sirve para dormir. Habrá momentos, sin embargo, en que necesitaremos introducir pequeños ajustes para que el ritmo se mantenga coincidente con el desarrollo de nuestro bebé.

———— ○ ————

Hasta alcanzar los ocho meses de edad, a Ana le gustaba la rutina que, con su madre al lado, implicaba irse a dormir y acomodarse feliz en la cama. Había sido trasladada desde un capazo a su cuna sin problemas y sin cambio alguno en la rutina seguida hasta aquel momento. Su madre la arropaba, se sentaba a su lado y le cantaba una nana. Algunas veces ocurría que Ana se relajaba casi de inmediato pero en otras ocasiones se mostraba algo inquieta y movía un poco la cabeza. No obstante e independientemente de lo apuntado siempre caía dormida en menos de cinco minutos y ello permitía a su madre desearle buenas noches y abandonar la habitación.

De repente la conducta de Ana con relación a la hora de irse a dormir experimentó un cambio. Apartaba la colcha tan pronto como se la metía en la cama, se agitaba con fuerza y algunas veces se ponía a gritar. La nana que hasta entonces tanto le había complacido ahora no captaba su atención. Su madre comenzó permaneciendo hasta diez minutos sentada tranquilamente junto a su cuna, esperando con ello tranquilizarla, pero sin resultado alguno. Cuando salía de la habitación, Ana se ponía a llorar con fuerza. «¿Qué es lo que le ocurre?» preguntó la madre de Ana a Lucy.

«Quiere que se vaya» dijo Lucy. «Está creando una tensión intolerable en ella debido a que sabe que está a punto de irse y no puede soportar tener que esperar a que lo haga. Sabe cómo acomodarse para dormir valiéndose para ello de sus propios medios y quiere que le permita hacerlo».

Sobre la base de este consejo, la madre de Ana comenzó cantándole la nana mientras la llevaba a la cama. La arropó, dio cuerda a un juguete musical, le dio un beso de buenas noches y se fue. Permaneció dos minutos en la habitación en lugar de diez. Ana profirió un leve chillido simbólico mientras su madre se alejaba de su lado y después se quedó dormida.

La madre de Ana consideró que se trataba de una experiencia fascinante. «Aprendí muchísimo» dijo, «acerca de cómo introducir cambios concretos a medida que Ana crecía y de cómo escuchar lo que me decía. Estaba convencida de que precisaba más ayuda para acomodarse cuando en realidad necesitaba menos. Lo que constituía una presencia calmante y tranquilizadora para ella cuando era muy pequeña se había convertido en algo que la enfurecía a partir del momento en que adquirió la percepción de lo que significaba el momento de irse a la cama. Todo ello vino a recordarme que debía estar preparada para dejar de lado mis presunciones y permanecer en todo momento abierta a cualquier información nueva proveniente de ella».

La cuestión que no experimenta cambio alguno es la de que la hora de irse a la cama sigue siendo siempre igual, tanto si a nuestro bebé le gusta como si no. Sin embargo, la forma de proceder en dicho momento puede ser objeto de alteración de acuerdo con las características de nuestro bebé. Una conducta como la de Ana puede ser fácilmente interpretada de modo erróneo como un rechazo a irse a la cama, cuando en realidad no es más que una petición de modificar el *cómo* ha estado haciéndolo.

———— o ————

A medida que nuestro bebé vaya creciendo se producirán rechazos genuinos a irse a la cama pero si se hace frente a ellos con firmeza y coherencia no se convertirán en un problema. A medida que se vaya acercando la fecha de su primer aniversario, el mundo de nuestro bebé se irá ensanchando rápidamente y tal circunstancia, complementada con el hecho de que ya puede mantenerse en pie y se está preparando para dar los primeros pasos, hará que lo vea desde una nueva y excitante perspectiva. Su movilidad le permite explorar todo cuanto se encuentra a su alcance. Se muestra altamente excitado ante sus descubrimientos y al mismo tiempo desarrolla una fuerza de voluntad y una energía que le prestan confianza en sí mismo y constituirán un rasgo dominante del periodo que se inicia.

La combinación resultante de la situación descrita puede ejercer unos efectos deletéreos sobre la hora de irse a dormir. Para comenzar tenemos que se mostrará reticente a renunciar a los placeres del día e irse a dormir y es posible que se enfurezca por insistir nosotros en que es hora de acostarse.

Mi hija desarrolló, cuando tenía once meses de edad, una tendencia que cabe calificar de clásica en dicho aspecto. Se ponía en pie dentro de su cuna y chillaba con todas sus fuerzas durante media hora. Cuando yo acudía a su lado para tranquilizarla y acomodarla para que durmiera, redoblaba la intensidad de sus chillidos en el momento en que me iba. No podía resistir el pensamiento de dejarla sollozando hasta caer desplomada pero, al parecer, con mi conducta todavía empeoraba más las cosas.

Lucy me pidió que le describiese su conducta. Después dijo: «Se muestra enojada porque el día ha llegado a su fin y también porque se la mete en cama. Volver a su lado para recordarle que es hora de dormir simplemente acentúa todavía más su enfado».

Este comentario se ajustaba a la impresión que yo tenía. Sin embargo ¿qué es lo que podía hacer para ayudarla?

«¿Qué es generalmente lo mejor que se puede hacer cuando alguien está muy enojado?», preguntó Lucy.

«Algunas veces necesitan que se les deje solos para que se tranquilicen. De hecho es todo lo que realmente puedes hacer. Has intentado apaciguarla y esto no ha servido de ayuda.»

Por consiguiente tuve que dejar que pasara por esta situación. A tal fin me iba al otro extremo de la casa y presa de gran abatimiento me ponía a planchar mientras mi bebé chillaba a todo pulmón. Afortunadamente no duró mucho, pues tras dejar de acudir a su lado, las protestas cesaron al cabo de pocos días.

Si lo que sentía hubiese sido que «la estaba dejando llorar» no habría podido mantener el propósito, pero Lucy me recordó que tal actitud era la respuesta apropiada ante las necesidades de mi bebé en dicha etapa de desarrollo y el hecho de que la misma me resultase penosa a mí, no significaba en modo alguno que también lo fuese para ella. Es cierto que lo encontré angustioso, pero por lo menos no me sentí confundida o culpable. Mi preocupación de que mi bebé pudiera creerse abandonado carecía totalmente de fundamento, tal como señaló Lucy. Si de verdad hubiese sido esto lo que sentía, habría dejado de llorar al acudir yo a su lado para apaciguarla y no hacerlo con redoblado vigor cuando se daba cuenta de que no iba a tomarla en brazos. Un bebé de esta edad ya ha aprendido que nosotros siempre volveremos a su lado y por esto es improbable que en circunstancias normales experimente temor alguno por dicho motivo.

Lucy sugiere que digamos a nuestro bebé que sabemos que puede dormirse por sí mismo, es decir, sin nuestra ayuda, y que por tanto no volveremos a su lado esta noche y nos veremos de nuevo por la mañana. También podemos optar por acudir a su lado una sola vez y decirle que ya no lo repetiremos.

Nuestro bebé necesita someter a prueba los límites de su mundo al objeto de sentirse seguro dentro de ellos. Este proceder forma parte de un impulso sano e inteligente que lo lleva a explorar todo cuanto encuentra. Probablemente necesitará comprobar varias veces las reglas a seguir para irse a la cama y ello coincidiendo con las diferentes etapas de su desarollo. Con el paso del tiempo ha experimentado un cambio y por consiguiente es de todo punto natural que trate de descubrir si el mundo también lo ha hecho. Es cometido suyo llevar a cabo la verificación de los límites y es nuestro procurar que se mantengan de modo apropiado. Es posible que esto parezca algo así como una contienda pero debe tenerse en cuenta que ceder simplemente haría que las cosas empeorasen.

Plan para conseguir que el bebé duerma en las malas noches

- Prestemos atención a los lloros de nuestro bebé y tratemos de averiguar qué es lo que siente.
- Consideremos lo que puede causar el que se despierte: ¿Dentición? ¿Una nueva etapa en su desarrollo? ¿Un cambio en su vida o también en la nuestra?
- Tratemos de convencerlo de que comprendemos cómo se siente, pero que es de noche y necesita dormir.
- Prestemos una atención adicional a nuestro bebé durante el día si parece que nos necesita al llegar la noche.
- Volvamos de nuevo al proceso básico. Acomodémoslo de igual modo a como lo hacíamos cuando era muy pequeño y le ayudábamos a aprender a dormirse.
- Mantengámonos siempre vigilantes respecto a aquellos momentos en que es posible que debamos introducir cambios en nuestra rutina para que la misma se ajuste a nuestro bebé ya más crecido.
- Recordemos que a medida que vaya creciendo necesitará comprobar con regularidad los límites que le fijemos. Debemos tener en cuenta que precisa contar con unos límites seguros a su alrededor.

9 • CÓLICOS Y OTROS PROBLEMAS

«Permaneció durante seis semanas en el hospital después de nacer y precisó ser alimentado con ayuda de un tubo durante tres meses y medio. Cuando vino a casa se mostraba tan nervioso e hipersensible que no podía soportar el que se le tocase la cara. Si se le ponía a dormir, comenzaba a chillar de inmediato.»

Madre de Dylan, de dos años, que ahora se va a la cama feliz y duerme durante toda la noche.

En la mayoría de los casos no existe una razón física por la cual un bebé no deba acomodarse en su cuna y dormir durante toda la noche en el curso de sus primeros meses de vida. Y desde luego tal circunstancia es absolutamente cierta en el caso de uno que esté sano. Sin embargo, algunos de ellos, y en especial los que sufren alguna dolencia, tienen problemas que hacen más difícil el que puedan alcanzar el estado de relajación que necesitan para dormir bien.

También y como es lógico, resulta mucho más arduo para los padres ayudar a su bebé a desarrollar unas pautas sanas, por lo que a dormir respecta, si ha estado enfermo o bien tiene algún problema específico. Cabe que parezca imposible darle un trato normal y creer que eventualmente podrá dormir bien. Sin embargo es posible que precise de más tiempo para alcanzar este objetivo y que a tal fin requiera ayudas de una clase especial que sean apropiadas a sus necesidades particulares. Sea como fuere, es de todo punto obvio que los bebés con problemas necesitan dormir en grado igual o mayor que los que están sanos y por tanto es altamente importante para ellos el que las dificultades que puedan experimentar en edad muy temprana para conciliar el sueño sean superadas.

Si nuestro bebé sufre de alguna dolencia es necesario que se nos proporcione el máximo de información sobre ella, incluida la que especifique de qué modo puede afectar su capacidad para dormir. En este libro no se incluye intento alguno para ilustrar todos y cada uno de los problemas específicos con que nosotros y nuestro bebé es posible que debamos enfrentarnos. Las aptitudes para dormir se apoyan sobre determinados fundamentos básicos, si bien la manera con qué cada bebé consigue dominar la técnica de su propio dormir tiene carácter único. Este método para ayudar a los bebés a que aprendan a dormir se basa en un cierto número de principios fundamentales que han sido objeto de consideración a lo largo de este libro, siendo preciso destacar que resultan de aplicación no sólo a los bebés que gozan de buena salud sino también a los enfermos y a los que tienen algún problema. Algunos de ellos es posible que sean algo difíciles de recordar cuando llegue el momento de enfrentarse con los retos adicionales que estos últimos plantean y es precisamente por esta razón que resultan aquí relevantes:

- Escuchemos a nuestro bebé y esforcémonos en determinar de un modo exacto qué es lo que siente.
- Pongamos en un segundo plano nuestra propia inquietud y nuestras presunciones cuando nos relacionemos con nuestro bebé al objeto de proporcionarle lo que realmente precisa en lugar de lo que nosotros pensamos que debería necesitar.
- Enviémosle mensajes coherentes acerca de cómo el día llega a su término y de que el espacio nocturno es para dormir.
- Mantengamos la atención necesaria a un nivel mínimo durante el periodo nocturno y perturbemos lo menos posible a nuestro bebé a lo largo de él.
- Aprendamos a confiar en la capacidad de nuestro bebé para dormir.

Diversos casos sometidos a estudio han venido a demostrar que cuando los padres muestran la debida confianza en su aplicación, las técnicas para incitar a bebés sanos a que concilien el sueño son igualmente efectivas para ayudar a los que experimentan alguna dificultad. Esto resulta cierto incluso cuando los problemas del bebé son acentuados, como ha puesto de manifiesto el notable historial de cierta familia.

——— o ———

Dylan nació sin dar señales de vida. Fue resucitado y pasó casi seis semanas en el hospital, primero en cuidados intensivos y después en cuidados especiales. No podía tragar nada debido a lesiones en los nervios de la boca y de la garganta y a consecuencia de tal circunstancia fue preciso alimentarlo a través de un tubo durante tres meses y medio. Su incapacidad para engullir daba lugar a que las mucosidades se acumulasen en su garganta, provocando con ello el que su respiración fuese ruidosa y acompañada de gorgoteos, lo cual resultaba muy penoso oír.

Cuando finalmente llegó a casa procedente del hospital, Dylan lloraba con fuerza casi durante todo el tiempo que permanecía despierto. De hecho sólo se quedaba dormido en brazos de sus padres. Si éstos intentaban colocarlo en su cuna, rompía otra vez a llorar. Aparentemente daba la impresión de hallarse fuertemente traumatizado por su nacimiento y por los días que en un principio estuvo en cuidados intensivos. No podía soportar estar boca arriba o que alguien le tocase la cara. Tampoco aceptaba las prendas de vestir que sólo era posible ponerle introduciendo la cabeza en ellas. Cuando Dylan ya estaba a punto de cumplir tres meses, su madre se encontraba muy cerca del punto de ruptura y fue en dicho instante cuando Lucy fue a verlos.

Conjuntamente llegaron a la conclusión de que Dylan solamente se sentía cómodo apoyado sobre su barriga ya que en esta posición el fluido podía salir sin problemas de su boca y se sentía más seguro. El pánico que se apoderaba de él cuando percibía que estaba rodeado de espacio vacío constituía evidentemente una reacción al extremado estrés que había experimentado mientras permanecía boca arriba en la unidad de cuidados especiales. Sabedora de que el consejo habitual es el de no instalar los bebés boca abajo para dormir, Lucy ayudó a los padres de Dylan a probar diferentes posiciones hasta que consiguieron encontrar una que le proporcionaba la sensación de existir una presión sobre su barriga que a fin de cuentas era lo que le gustaba. (Véase el capítulo 7 con relación a sugerencias acerca de posiciones apropiadas para conciliar el sueño.) Tras ello Dylan comenzó a dormir.

Este hecho supuso un gran cambio para toda la familia. Sin embargo y por supuesto sus problemas no habían terminado. Dylan todavía necesitaba mucha ayuda para mostrarse más tranquilo y sosegado y sus padres debían, por consiguiente, actuar de forma muy clara y coherente en sus tratos con él, en especial al llegar la noche. No fue hasta que cumplió diecisiete meses que Dylan comenzó a relajarse dentro de los límites establecidos por sus padres, a aceptar sin problemas la hora de irse a la cama y a dormirse con facilidad. De hecho es esto último lo que supuso el punto decisivo a partir del cual Dylan supo enfrentarse mejor con la situación y también sus padres.

Actualmente, a los dos años de edad, todavía no dispone de un diagnóstico claro respecto a su estado físico y de tal circunstancia se deriva el que siga experimentando dificultades tanto para respirar como para comer. Además, en general su deficiente tono muscular se traduce en que todavía no le sea posible caminar. A pesar de todo ello se va a la cama feliz escuchando música y no se despierta hasta la mañana siguiente. Su madre dice que Dylan duerme mejor que los hijos sanos de igual edad de muchas de sus amigas.

Los padres de Dylan sabían que necesitaba desesperadamente poder dormir y que ellos se encontraban en igual situación. Su determinación les ayudó a persistir en su enfoque encaminado a identificar sus necesidades e intentar atenderlas mientras que al mismo tiempo le iban enviando claras señales de que el espacio nocturno es para dormir. Desgraciadamente ocurre, sin embargo, que los padres cuyos bebés sufren problemas mucho menos graves a menudo llegan a la precipitada conclusión de que no hay nada que puedan hacer para mejorar el dormir de los mismos.

——— o ———

Cólicos

De un bebé que llora sin que haya una razón aparente para ello se dice con frecuencia que sufre cólicos, los cuales, típicamente, hacen su aparición al caer la noche, duran de una a tres horas y desaparecen en el momento en que el bebé cumple tres meses. Se cree que se hallan estrechamente vinculados a la indigestión ya que algunas veces dobla las rodillas hasta situarlas a la altura del pecho como si estuviera sufriendo dolor de estómago.

Nuestro doctor puede diagnosticar que se trata de un cólico y tranquilizarnos en el sentido de que «pronto habrá crecido lo suficiente para superarlo». Es de todo punto obvio que una explicación médica puede hacer más soportables los periodos diarios de lloros y ciertamente ayuda el saber que la situación no va a durar siempre. Sin embargo conviene destacar que existe un inconveniente en aceptar los cólicos como la causa de ausencia de sueño y el mismo es que es posible que se pierda por completo la oportunidad de aprovechar los primeros meses para establecer unos buenos hábitos por lo que a dormir respecta. Esta «época dorada» en que podemos sacar ventaja en grado máximo de la predisposición biológica de nuestro bebé para adaptarse al dormir nocturno pronto se agota. Además tenemos que las técnicas utilizadas para confortarlo cuando sufre un cólico pueden convertirse en unos hábitos duraderos que harán que le resulte imposible conciliar el sueño por sí mismo y permanecer dormido durante toda la noche.

Por otra parte tenemos que el que se nos diga que «los cólicos no existen» no es de mucha ayuda cuando no acertamos a encontrar el motivo que provoca unos lloros que persisten durante horas al final de cada jornada. Existen medicamentos que bajo forma de gotas sirven para combatir los cólicos y a algunos padres les ha sido útil su empleo. Si éste no es nuestro caso, es posible que consideremos que no hay nada que podamos hacer salvo esperar. Esto, sin embargo, nunca es cierto. Siempre hay algo que podemos hacer para intentar resolver el problema o por lo menos paliar la situación de modo que resulte más fácil de dominar, tanto por lo que se refiere a nosotros como a nuestro bebé. Los cólicos no son más que una etiqueta de carácter genérico de la que nos valemos para describir determinados comportamientos de un bebé. El mejor enfoque es olvidarse de esta etiqueta y centrar toda la atención en el comportamiento.

Los cólicos se hallan vinculados a la alimentación ya que todo en un bebé de escasa edad guarda estrecha relación con esta circunstancia. Debe tenerse en cuenta que es a través de la alimentación que experimenta sus sensaciones corporales y que éstas constituyen la base de sus emociones. Son tres los problemas específicos que estrechamente relacionados con la comida pueden traducirse en la aparición de cólicos: subalimentación, sobrealimentación y alimentación anárquica.

Un bebé subalimentado puede desenvolverse sin apenas problemas durante el día pero al llegar la noche es posible que el hambre le acucie y se ponga a llorar con fuerza por ello. Sin embargo y por regla general concurrirán también otros signos, como por ejemplo el no aumentar de peso.

La sobrealimentación es más probable que sea causa de cólicos. A un bebé que llora con frecuencia se le ofrece alimento en un intento de apaciguarlo y cabe que lo acepte pese a no necesitarlo debido a que la acción de chupar alivia su malestar. Sin embargo, la sobrecarga que con ello recibe su sistema digestivo provoca un renovado dolor y, como es natural, más lloros. Un chupete, que nuestro bebé puede succionar sin que deba ingerir más alimento, puede constituir algunas veces la respuesta en tales casos.

La alimentación anárquica es muy común. Tiene lugar cuando un bebé recibe alimento en momentos que podemos considerar equivocados debido a que no siente realmente hambre, lo cual provoca el que sus ritmos corporales se vean impedidos de ajustarse a las condiciones propias de una pauta equilibrada. Se siente descontento y se muestra permanentemente irritado pero no con hambre suficiente para aceptar alimento en cantidad apropiada ni tampoco en condiciones de relajarse lo bastante para hacer una buena digestión. Una vez más tenemos que es muy posible que pase el día sin dificultad alguna pero al llegar al anochecer ya no podrá resistir más y se desmoronará.

Existe una teoría según la cual el bebé recién nacido que dobla el cuerpo de forma acentuada y persistente puede presionar su estómago todavía inmaduro y provocar con ello el que sufra indigestión. Si sospechamos que éste es el caso tratándose de nuestro bebé, podemos probar el aplicarle un suave masaje (véase el capítulo 7), en especial después de un baño caliente. Debe tenerse en cuenta que la tensión hará que nuestro bebé doble el cuerpo con mayor fuerza todavía y, por consiguiente, cualquier medida que propicie el que se relaje será de ayuda.

Ocasionalmente los cólicos reconocen como origen una intolerancia hacia la leche o una alergia.

La intolerancia a la leche se produce cuando un bebé no puede digerir la que comercialmente se vende como maternizada. Esto, por regla general, se hace patente de forma obvia ya que harán su aparición unos síntomas claros de dificultades digestivas, tales como vómitos, diarrea o estreñimiento. Pese a ingerir mucha leche, nuestro bebé parece estar subalimentado y no se desarrolla adecuadamente. El llorar vendrá vinculado con la alimentación, independientemente del momento del día en que la reciba. Debe tenerse en cuenta que algunos bebés lloran mientras están tomando la leche mientras que otros lo hacen al final. La intolerancia a la leche maternizada algunas veces se pone de manifiesto cuando a un bebé deja de dársele muy pronto el pecho. Ante una situación así lo aconsejable es acudir a nuestro doctor para que nos recete otra de formulación diferente.

La alergia hace su aparición cuando el sistema inmunológico de un bebé se ve afectado por algún componente presente en la leche maternizada que toma habitualmente. En tal caso su cuerpo se sensibiliza frente a él e intenta rechazarlo. Las alergias generalmente se exteriorizan bajo forma de erupciones cutáneas y otras afecciones de la piel pero también pueden dar origen a trastornos estomacales. Es posible que se vean provocadas por las complicadas proteínas que podemos encontrar en la leche maternizada. Más adelante, cuando ya ha llegado el momento en que los bebés toman alimentos sólidos, los que de entre ellos fueron criados con leche materna es menos probable que desarrollen alergias. La perfecta digestibilidad de dicha leche presupone que sus sistemas no fueron sensibilizados cuando eran de muy corta edad y, por consiguiente, han dispuesto de más tiempo para desarrollar su inmunidad.

La pregunta obvia con relación a los cólicos es por qué tienen lugar a la misma hora todos los días, típicamente entre las cinco de la tarde y las diez de la noche. La respuesta es igualmente obvia. Se ha llegado al final del día y nuestro bebé se encuentra cansado después de haber tenido que enfrentarse con un cúmulo de estímulos a lo largo de toda la jornada. Nosotros, por nuestra parte, también estamos cansados y probablemente estresados. Es un momento de gran actividad en esta familia agotada: personas hambrientas llegan a casa, debe prepararse la comida y es posible que haya otros niños que precisan atención. La íntima sencillez que ha presidido la jornada del bebé, quizás acompañado únicamente por algún familiar o uno de sus padres, ha desaparecido. Puede muy bien suceder que como consecuencia de tal circunstancia se sienta confuso, desconcertado, sobreestimulado y agotado. En tales condiciones no podrá alimentarse adecuadamente.

En otras palabras, los cólicos pueden ser causados por el estrés. La respuesta, por consiguiente, es proporcionar a nuestro bebé mucho tiempo para que se sosiegue y apacigüe al caer la noche. Esforcémonos asimismo en evitar que nos dominen las preocupaciones y también en conseguir el tiempo preciso para que el alimento correspondiente al anochecer se vea presidido por una atmósfera íntima y relajada. Asegurémonos de que nuestro bebé no se halla en una postura inadecuada, como por ejemplo sólo vuelto a medias hacia nosotros, ya que tomar alimento de un modo incómodo afectará su digestión.

Recordemos igualmente que nuestro bebé captará y absorberá cualquier inquietud o preocupación que nosotros sintamos. A este respecto procede destacar que se crea tensión cuando existe una audiencia en el momento en que el bebé rompe a llorar y no da muestras de cesar. Los miembros de la familia es posible que nos presionen con consejos bienintencionados. Cuando estamos batallando con un bebé que llora a pleno pulmón y alguien dice: «Debe tener hambre», incluso si estamos convencidos de que no es así, resulta muy posible que le ofrezcamos alimento con el único y exclusivo propósito de conseguir que renazca la tranquilidad.

Sin embargo no hagamos lo que otras personas creen que deberíamos hacer. Aparte de buscar calmar a nuestro bebé valiéndonos de las medidas sugeridas aquí y en el capítulo 4, ignoremos el cólico. Llevemos a la práctica el programa que ha de estimular a nuestro bebé para que se vaya a la cama y se duerma pero siempre esperando primero que se relaje. Si esto no ocurre hasta las 10 de la noche no nos preocupemos por ello. Mantengámonos lo más tranquilos que podamos, insistamos un día tras otro y veremos como al final acabará acomodándose a la pauta prevista mucho más pronto de lo que lo haría en el caso de que diéramos muestras de preocupación o bien si acabásemos abandonando.

Aun en el supuesto de que se vaya a la cama tarde, es importante el que se mantenga la transición entre el momento en que todavía está despierto y aquel en que va a conciliar el sueño. Ciertamente no puede adquirir unos buenos hábitos en cuanto al dormir si agotado se queda dormido y en un momento dado se despierta e inesperadamente comprueba que se encuentra en la cama. Es preciso que tenga una clara percepción del instante en que es llevado a ella para dormir. Teniendo en cuenta que nuestra actitud tranquilizadora y nuestro trato coherente hacen posible el que se relaje de forma gradual, podrá irse a la cama cada vez más temprano. De momento lo verdaderamente importante para ayudarle a conseguir su adaptación a una pauta estable es que pueda gozar de una atmósfera tranquila y pacífica.

Resfriados

Probablemente sabremos que nuestro bebé se halla enfermo antes de que ponga de manifiesto algunos síntomas obvios. En primer lugar no nos parecerá que tenga el aspecto normal habitual. Es probable que esté pálido, que su mirada aparezca apagada y se muestre desganado. También es posible que sus movimientos sean torpes y esté menos alegre que de costumbre. Los síntomas del resfriado a menudo hacen su aparición después de unas cuantas noches plagadas de interrupciones y con ello queda resuelto el misterio del porqué nuestro bebé se despertaba con tanta frecuencia. De hecho se sentía muy mal mientras se desarrollaba el resfriado en él, o sea lo mismo que en tales casos nos ocurre a nosotros.

Una vez más hemos de insistir en que no debemos cambiar la rutina usual por lo que se refiere al periodo nocturno. Hagamos todo cuanto esté a nuestro alcance para ayudar a nuestro bebé a hacer frente a la situación al objeto de que pueda dormir tan bien como pueda, hasta que llegue el momento en que esté mejor. Debe tenerse bien presente que necesita dormir tanto como sea posible para ayudarle a combatir la infección.

Los bebés no saben valerse de la solución alternativa de respirar por la boca cuando su nariz se halla obturada hasta que han cumplido dos o tres meses. Por consiguiente, la mejor manera de desbloquear la de un bebé de escasa edad es provocarle estornudos haciéndole cosquillas en las fosas nasales con un pañuelo de papel.

Estar en una posición más erguida contribuirá a la eliminación de fluidos que interfieren su respiración. Pongamos una almohada debajo del colchón de nuestro bebé en el punto en que apoya la cabeza al objeto de que pueda dormir en una posición ligeramente inclinada. Si la obstrucción respiratoria es muy elevada, es posible que le ayude a dormir, durante una o dos noches, si lo sentamos en la sillita utilizada para sus viajes en automóvil. Un pañuelo rociado con aceite de lavanda y colocado cerca de su cabeza constituye asimismo un medio eficiente para facilitar su respiración, pudiendo también recurrir, con carácter alternativo, a poner algunas gotas en un cuenco con agua e instalarlo sobre un radiador.

Necesita asimismo disponer de fluidos adicionales y es con este fin que deberemos ofrecerle agua si se despierta por la noche. Es probable que se sienta confuso como resultado de la nueva y desagradable experiencia que supone estar resfriado, aparte la incomodidad que de ello se deriva. Recordemos pues la conveniencia de reiterarle que está perfectamente, salvo una leve obstrucción respiratoria, y que pronto podrá volver a dormirse. Evitemos los mimos y démosle la oportunidad de conciliar de nuevo el sueño por sus propios medios durante unos diez minutos, transcurridos los cuales y en el supuesto de que no se haya dormido podemos tratar de calmarlo de nuevo. La idea es crear en torno a nuestro inquieto bebé una atmósfera que propicie el dormirse.

Los accesos de tos provocados por cosquilleo en la garganta harán que las noches de nuestro bebé sufran múltiples interrupciones pero por otra parte conviene recordar que contribuyen de modo importante a la eliminación de mucosidades presentes en su pecho. Hagamos hervir un poco de agua en su habitación si su tos es de tipo muy seco ya que el vapor hará que consiga respirar mejor.

Podemos sospechar que tiene la garganta inflamada si llora al ingerir el alimento. Si lo hace tocándose al mismo tiempo la oreja podemos suponer que sufre una otitis. En cualquiera de los dos casos acudamos a nuestro médico por la mañana para que lo examine.

Los bebés de muy corta edad controlan mal su temperatura corporal y es por ello que alcanzan con facilidad valores elevados. Si nuestro bebé parece estar más caliente de lo que debiera, eliminemos alguna de las prendas de vestir o parte de la ropa de cama. Utilicemos siempre fibras naturales, como por ejemplo el algodón, ya que permiten que la piel respire.

Bebés prematuros

Un bebé es prematuro si su madre llevaba treinta y seis semanas de embarazo o menos en el momento de nacer. A los padres generalmente se les aconseja que piensen en sus bebés como siendo de la edad que hubieran tenido si hubiesen nacido en el momento normal ya que el espacio de tiempo de que precisan para ponerse a nivel de los que se encuentran en este último caso, puede dar lugar a que parezcan llevar retraso en su desarrollo.

Los bebés prematuros casi siempre sufren problemas relacionados con el dormir y ello por buenos motivos. El embarazo es más probable que haya sido difícil o dominado por el estrés y el acto de nacer resulta algunas veces traumático. Las unidades de cuidados especiales para bebés son lugares susceptibles de provocar enajenación y temor, tanto para los bebés como para sus padres.

Toda la atmósfera de alta tecnología que rodea a nuestro bebé prematuro socava inevitablemente la confianza en nuestra capacidad para ocuparnos de él. Hacernos responsables de su persona así como de los cuidados y la alimentación de todos los días son menesteres que fomentan la comunicación con nosotros pero que debido a las circunstancias sufren demora. Cuando finalmente dicha comunicación se inicia tenemos que se ve afectada por problemas que reconocen como origen las estresantes experiencias previas sufridas por nuestro bebé.

Sin embargo, por mucha valentía y buen humor que aportemos a la situación deberemos admitir que provoca cierta angustia tener un bebé prematuro. Lo que debemos esperar es que sean elevados los niveles de la misma durante las primeras semanas de su estancia en el hogar. Tras ver que nuestro bebé necesita ayuda para respirar y para alimentarse, resulta natural que consideremos que no podemos confiar en él para que respire por propia iniciativa o para que nos dé a conocer cuando necesita alimento. Es probable que al principio debamos despertarlo para darle de comer y que por tanto sea imposible dar inicio al proceso encaminado a persuadirlo para que duerma por sí mismo.

A su debido tiempo deberemos abandonar esta fase para pasar a la de tratar a nuestro bebé como un ser natural y sano. Esto, por supuesto, puede resultar algo difícil de poner en práctica. Tan pronto como nuestro médico nos asegure que nuestro bebé goza de perfecta salud, constituye una buena idea comenzar a dar pequeños pasos hacia la transición. Cualquier demostración de la confianza que depositamos en él contribuirá a que su progreso se haga más rápido. Si por contra persistimos en tratarlo como si fuese un ser frágil y en el que no podemos depositar confianza cuando ello ya ha dejado de ser cierto, tal actitud dará lugar a que el bebé lo perciba y considere que el dormir no ofrece seguridad. La consolidación de su dormir en prolongados periodos nocturnos, el desarrollo de su estructura esquelética y muscular que prosigue mientras está sumido en profundo sueño y el buen apetito que se manifiesta al despertarse, todo lo cual es especialmente beneficioso para un bebé prematuro, se verá demorado de modo totalmente innecesario.

Si, por ejemplo, hemos estado despertando a nuestro bebé para proporcionarle alimento cada dos horas, podemos intentar, después de recibir la aprobación de nuestro médico, dejar que duerma durante tres horas antes de proceder de igual modo. Si se despierta por sí mismo y llora en demanda de alimento, tal circunstancia supondrá que vamos en camino de aprender a interpretar sus lloros y él, por su parte, de descubrir sus necesidades y la forma de comunicarlas.

La ansiedad y la preocupación que afligen a los padres de un bebé prematuro pueden hacer que todo parezca terriblemente difícil. En una situación así ayuda reconocer nuestros propios sentimientos y tras ello decidir de modo consciente hacer algo que sabemos es bueno para nuestro bebé en lugar de llevar a cabo aquello que instintivamente percibimos favorece primordialmente nuestros intereses. Considerada la cuestión de otro modo, podemos decir que de lo que se trata es hacer lo que nuestro bebé necesita en lugar de lo que nosotros querríamos. Por ejemplo, cabría que nos dijéramos: «Sé que yo querría que se despertase porque cuando está despierto tengo la seguridad de que se encuentra perfectamente. Sin embargo, también sé que necesita dormir bien. Por consiguiente, voy a hacer lo que precisa y no lo que yo deseo». Tras esta reflexión ya estaremos en condiciones de decidir a qué hora querremos despertarnos para echar una ojeada a nuestro bebé y podremos irnos a dormir.

Como remate de todas las preocupaciones causadas por lo que nosotros y nuestro bebé hemos tenido que soportar nos encontramos con que debemos desacostumbrarlo del régimen a que se hallaba sometido en el hospital. Si se halla acostumbrado al ruido, al bullicio y a la luz a todas horas es muy posible que experimente ciertas dificultades para adaptarse a los ritmos normales del día y de la noche. Procuremos pues establecer una distinción entre ambos periodos que sea tan clara como podamos. Deberemos por ello esforzarnos para que la alimentación nocturna sea muy tranquila y con una luz lo más tenue posible. Cuando deje de tomar alimento en cantidad apreciable en el momento de despertarse, tal circunstancia vendrá a significar que ya se halla preparado para comenzar a dormir durante periodos más prolongados por la noche, o sea igual que un bebé nacido normalmente.

Gemelos

Los gemelos con frecuencia nacen prematuramente y por ello deberemos enfrentarnos a lo descrito anteriormente pero multiplicado por dos. Cuando nacen en el momento previsto, generalmente son de pequeña dimensión y por ello es probable que se muestren muy hambrientos y exigentes.

Algunos prefieren someter a los gemelos a un programa estricto y los alimentan a la misma hora. Sin embargo, la experiencia viene a demostrar que con frecuencia se consigue más éxito tratándolos como si fuesen dos seres separados y permitiéndoles establecer sus propios ciclos diferenciados en cuanto al dormir y a la alimentación. Es posible que pensemos que esto supondrá estar dándoles de comer todo el tiempo. En la práctica lo que ocurre es que uno de ellos a menudo se convierte en «líder del grupo» y se despierta primero pidiendo alimento mientras que el otro le sigue poco después. A partir del instante en que se ha conseguido la debida práctica en este menester, el proporcionar alimento a nuestros bebés uno tras otro podremos llevarlo a cabo en un espacio muy breve de tiempo.

La clave que permite alimentar dos bebés con éxito reside en establecer unos espacios de tiempo bien definidos entre las tomas. Este detalle es relevante en el caso de un solo bebé, pero adquiere vital importancia tratándose de dos. Si damos de comer a dos bebés cada vez que se ponen a llorar, esta labor literalmente no cesará nunca. Proporcionar alimento a un bebé tiende a ser una actividad que se prolonga desmesuradamente y además enervante cuando no se halla realmente hambriento. Por consiguiente, los padres de gemelos es preciso que estén completamente seguros de que tienen verdaderamente hambre antes de darles alimento alguno.

Tener gemelos, aun cuando sea algo que ya esperábamos, constituye un shock y al principio nuestra confianza puede experimentar una apreciable sacudida. Al parecer todo marcha mejor cuando pensamos en nuestros bebés como siendo dos seres separados en lugar de solo uno multiplicado por dos. Esta actitud supone que podremos establecer unas señales de identificación claras respecto a cada uno de ellos desde un buen principio y de este modo dejar de sentirnos excesivamente abrumados por la situación.

Por encima de todo tenemos que los gemelos a menudo duermen mal debido a que se despiertan mutuamente, y está es una razón más para permitirles que encuentren por sí mismos sus propios ritmos. Debe tenerse en cuenta que uno de ellos es posible que madure con mayor rapidez que el otro y comience a dormir a lo largo de toda la noche mientras que su hermano todavía precisará despertarse para recibir alimento.

Los cólicos, los resfriados, los prematuros y los gemelos han sido utilizados aquí en calidad de cuatro ejemplos de la clase de dificultades que pueden complicar la acción de dormir tanto por lo que se refiere a nosotros como a nuestro bebé y con ello hacer más ardua la consecución de buenos hábitos a la hora de conciliar el sueño. El hilo que discurre a través de estas diferentes situaciones, así como de otras con las que es probable que debamos enfrentarnos, no es más que el equilibrio mental y por ello tras reconocer la dificultad y ayudar a nuestro bebé a superarla, es necesario que creamos que el dormir es algo que aprenderá a hacer por sí mismo y es por consiguiente indispensable que persistamos en inculcar esta creencia en nuestro bebé.

Plan para dormir en casos de enfermedad y situaciones difíciles

- Reconozcamos la parte desempeñada por nuestros sentimientos. Si no creemos que nuestro bebé puede dormir bien, éste encontrará muy difícil poder hacerlo.
- Aceptemos que nuestra confianza así como la de nuestro bebé sufrirá un retroceso. Probemos a enviar mensajes tranquilizadores no sólo a nuestro bebé sino también a nosotros.
- Recordemos que siempre hay algo que podemos hacer para ayudar.
- Cuando nuestro bebé se despierte por la noche, hagamos lo que sea necesario pero no más. Mantengamos la perturbación a un mínimo. Un bebé enfermo probablemente necesitará algo más que una palmada de consuelo en la espalda pero el principio sigue siendo el mismo.
- Adaptemos a la situación nuestro programa para dormir pero no lo abandonemos. Unas pautas firmes tranquilizan a nuestro bebé mientras que los cambios en la rutina sólo sirven para confundirlo todavía más.
- No saquemos conclusiones erróneas respecto al estado de nuestro bebé asumiendo que siempre que se despierta es debido a que le duele algo. Observémoslo con detenimiento. Un bebé que se despierta debido a que quiere compañía y jugar requiere una respuesta distinta que el que se siente enfermo. El primero necesita que se le diga con firmeza que es hora de irse a dormir mientras que el segundo precisa de nuestra simpatía y ayuda.

10 • REGLAS DE ORO

Aun cuando nada es más sencillo que dormir cuando todo va bien, ello no obsta para que siga siendo una cuestión sutil, misteriosa y compleja. Ante todo podemos decir que se apoya sobre un delicado equilibrio que se pierde con facilidad. Dormir bien sólo se consigue cuando son muchas las cosas que marchan como es debido, tanto si somos conscientes de ello como si no. Debido a tal circunstancia, poner al descubierto los secretos de las noches sin problemas ha dado lugar a que nos adentráramos en un territorio altamente variado.

Hemos visto que era necesario el que nos conociéramos a nosotros mismos así como a nuestro bebé de forma muy precisa. También contribuye a resolver las dificultades el contar con un conocimiento básico de la naturaleza del dormir y de las condiciones que lo fomentan, así como acerca de la estrecha relación que media entre él y cuanto ocurre durante el espacio diurno. El dormir no puede ser considerado separadamente de las emociones, los hábitos, el proceso alimenticio y el desarrollo físico y mental de nuestro bebé.

Cuando surgió en nosotros la idea de escribir este libro era nuestro propósito revelar a los padres una especie de fórmula mágica apoyada en el hecho de que en nuestras manos se encuentra la clave que ha de hacer posible el que en nuestro bebé despierte la capacidad de poder dormir durante toda la noche y ello tan pronto y con tanta facilidad como sea posible. Y el enfoque que hemos descrito en las páginas anteriores es el que ha de obrar como por arte de magia. Sin embargo, cuando se nos pide que resumamos en una sola frase la respuesta a una pregunta tan simple como: ¿cuál es pues el secreto? nos vemos imposibilitados de hacerlo. Antes de que podamos aplicar estas reglas escasas en número y sencillas en su enunciado es preciso que entendamos el proceso que determina el dormir de nuestro bebé así como el papel que nosotros desempeñamos en él. Es así como nos convertimos en expertos en el dormir de nuestro bebé.

Los detalles que figuran en este libro van encaminados a iluminarnos respecto a la conducta de nuestro bebé y a ayudarnos a entenderla. No obstante, la magia real de este enfoque reside en su sencillez. Nuestro propio bebé nos proporcionará abundante información mientras estudiamos sus diversas formas de proceder y los cambios que se producen en él. Las variaciones que cotidianamente y de forma individual podemos apreciar de un bebé a otro así como en sus respectivas familias son infinitas. Sin embargo, la respuesta siempre la encontraremos recurriendo a los fundamentos básicos, lo cual supone que la solución se halla en un número muy limitado de principios centrales.

Al final hallaremos este enfoque tan sencillo y fácil de aplicar que las doce «reglas de oro» que se detallan a continuación será lo único que nos hará falta para salir airosos de nuestro empeño. Actuarán como medio resolutorio de dificultades, permitiéndonos cortar de raíz los problemas antes de que tengan la oportunidad de desarrollarse. Vienen a ser asimismo una especie de mapa que deberemos consultar cada vez que momentáneamente perdamos el camino. Sea lo que fuere lo que provoque el que nuestro bebé se mantenga despierto, con su aplicación conseguiremos gozar de unas noches tranquilas.

- Nunca deberemos despertar a un bebé sano mientras está durmiendo.
- Nunca demos de comer a nuestro bebé por la noche durante las horas en que ha puesto de manifiesto que puede dormir de forma ininterrumpida.
- No permitamos que nuestro bebé vaya a la cama con un biberón en sus manos.
- Pongamos nuestro bebé en la cama relajado y despierto.
- Dejemos que se habitúe a conciliar el sueño por sus propios medios. Fijémonos como propósito el que el dormir de nuestro bebé se halle bajo su propio control.
- Aprendamos a distinguir desde los primeros días el lloro provocado por el hambre en nuestro bebé y dediquemos todo el tiempo que sea necesario a desarrollar una buena comunicación con él de modo que nos sea posible identificar sus necesidades.
- Concentrémonos en la identificación de las necesidades de nuestro bebé al objeto de que podamos atenderlas de un modo apropiado. Al mismo tiempo transmitámosle claros mensajes de que el periodo nocturno es para dormir y que esto es algo que no puede cambiar.
- Mantengamos el contacto y la perturbación al nivel mínimo posible después de que se haya ido a la cama. Jamás juguemos con nuestro bebé en dicho instante o hagamos nada que pueda interpretar como una recompensa por estar despierto.
- Establezcamos una rutina regular, agradable y relajante por lo que al momento de irse a la cama respecta y ello a partir de los dos meses de edad.
- Los instantes en que el bebé permanezca dormido durante el día constituyen un complemento del dormir nocturno y en modo alguno un sustitutivo del mismo.
- Reconozcamos nuestras propias necesidades, sentimientos y actitudes y ocupémonos de ello separadamente de nuestro bebé.
- Siempre hay algo que podemos hacer para ayudar. Sin embargo, recordemos que el no hacer nada es, en algunas ocasiones, lo apropiado.

A medida que nuestro bebé crece, sus necesidades y su conducta experimentarán cambios. Muy pronto, en lugar de unos lloros nocturnos que precisan nuestra interpretación, nos veremos despertados por un pequeño ser junto a nuestra cama que nos contará una historia acerca de un monstruo que ha aparecido en su habitación o un sueño en el que había un avestruz que quería devorarlo. Sea como fuere nos conviene no olvidar que independientemente de los cambios que se produzcan en nuestro hijo, las reglas siguen siendo las mismas. Tranquilización, coherencia, confianza y un recordatorio amable pero firme de que el espacio nocturno es para dormir y que esto resulta válido para todo el mundo.

ÍNDICE ALFABÉTICO